처음 시작하는
상부 소화기
내시경

KB152309

...tive Endoscopy

Manual

저자 후지시로 미츠히로
미치다 도모키
야마모토 요리마사
오다 이치로우
이마가와 아츠시

역자 김영설(정병원)

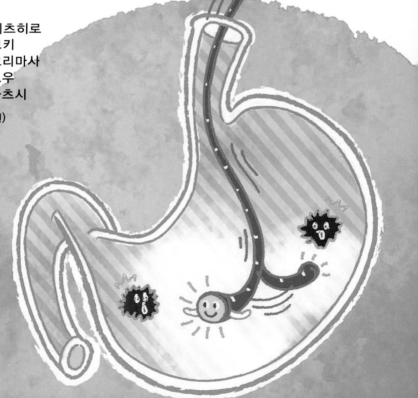

처음 시작하는
상부 소화기내시경 Manual

첫째판 1쇄 인쇄 | 2018년 8월 17일
첫째판 1쇄 발행 | 2018년 8월 24일

지 은 이 후지시로 미츠히로, 미치다 도모키, 야마모토 요리마사,
　　　　오다 이치로우, 이마가와 아츠시
역　　　자 김영설
발 행 인 장주연
출 판 기 획 김도성
편　　　집 배혜주
편집디자인 조원배
표지디자인 김재욱
제 작 담 당 신상현
발 행 처 군자출판사(주)
　　　　등록 제4-139호(1991. 6. 24)
　　　　본사 (10881) **파주출판단지** 경기도 파주시 회동길 338(서패동 474-1)
　　　　전화 (031) 943-1888　팩스 (031) 955-9545
　　　　홈페이지 | www.koonja.co.kr

はじめての上部消化管内視鏡ポケットマニュアル
著者：藤城光弘　道田知樹　山本頼正　小田一郎　今川敦
Invitation for Digestive Endoscopy
ISBN978-4-524-26756-9 ⓒNankodo Co., Ltd., Tokyo, 2014
Originally Published by Nankodo Co., Ltd., Tokyo, 2014
「本書は南江堂との契約により出版するものである」

* 파본은 교환하여 드립니다.
* 검인은 저자와의 합의하에 생략합니다.

ISBN 979-11-5955-347-9
정가 25,000원

* 교정에 도움주신 분 : 명지병원 은종렬 교수

처음 시작하는

상부 소화기
내시경

Invitation
for Digestive Endoscopy

Manual

Invitation for Digestive Endoscopy

집 필

후지시로 미츠히로 | 도쿄대학 의학부 광학의료진료부

미치다 도모키 | 테이쿄대 치바종합의료센터 제3내과

야마모토 요리마사 | 암연구소 아리아케 병원 소화기센터 내과

오다 이치로우 | 국립 암연구센터 중앙병원 내시경과

이마가와 아츠시 | 산포우종합병원 소화기내과

머리말

최근 의료의 발전은 매우 눈부시며, 그 중에서도 소화기내시경 분야는 세계를 리드하는 영역이 되어 내시경 기기의 발달과 더불어 이전에는 상상도 할 수 없었던 치료가 가능하게 되었다. 내시경에 의한 검사나 치료의 다양화와 복잡화는 보다 많은 지식의 습득과 정보 수집이 요구되고 있으며, 동시에 분업화나 역할 분담을 포함한 팀 의료의 중요성도 지적되고 있다.

이 책은 내시경 검사와 치료를 시작하려는 의사 혹은 관련 의료인을 대상으로 한 내시경 진료의 입문서로 기획되었다. 너무나 상식적이거나, 기초적이어서 큰 소리로 묻기 어려운 부분에 대한 사항에 대해 임상에서 적극적으로 검사나 치료가 가능하도록 알기 쉽게 정리했다.

이 책을 읽고 최근의 경향이 되고 있는 팀 의료의 개념하에서, 내시경 팀의 중요한 일원으로 내시경검사나 치료에 임해 주기를 바란다. 이 책을 계기로 내시경 진료 분야에 발을 디뎌 이 영역에 흥미를 가지고 보다 전문적인 내시경학에 심취해 가기를 필자 일동은 간절히 바란다.

2014년 9월 미치다 도모키

시작하며 – 이 책의 활용법

　우리들이 연수의를 할 때는 소화기내과 입국을 결정한 후에 내시경 세계에 발을 디디는 것이 일반적이었다. 따라서 내시경의 조작이나 깊이에 대해 매우 미숙하였다. 다행이었는지 불행이었는지 모르지만 그에 따라 점차 내시경이 좋아지게 되는 것을 느낄 수 있었다. 일본에서 젊은 의사의 임상 수련이 필수가 되면서 내시경 조작법이나 깊이를 알지 못하고 현장에 부딪쳐, 배우지 못한 채 현장을 떠난 연수의도 보게 되었다. 대학병원에서 내시경을 전문으로 하는 것은 약간의 외로움을 느낄 수 있다. 대학 이외의 임상 수련 병원에서는 매우 바쁜 소화기 진료 중에 연수의에게 내시경 교육까지는 도저히 손길이 닿지 않는다는 말도 듣고 있다. 그러던 중 이 책의 출판사 편집자에게 우연히 학회장에서 "교수님과 내시경 책을 만들고 싶습니다"라는 말을 들었고, 마침 거기에 같이 있던 동료 4명에게 공저자가 되어 주기를 부탁했다. "전문 서적은 많이 있지만 연수의가 쉽게 읽을 수 있는 책은 없지요", "그러면 우리가 만들지요"라고 해서 출판된 것이다.

이 책의 편집에는 :
① 연수의나 다른 의료인이 구입하기 쉬운 가격으로,
② 그들이 쉽게 읽을 수 있는 내용이면서, 필요한 최저 지식이나 정보를 망라하였다.
　이 책을 손에 들면 먼저 책 앞부분의 '내시경 진료의 흐름도'를 보기 바란다. 자신이 지금 갖고 있는 문제에 대해 어느 장을 참고하면 좋은지 한 눈에 알도록 했다. '처음 시작하는 내시경 Q & A'에는 연수의에게 자주 듣는 질문을 정리했으며, 그것에 해당하는 본문 쪽을 링크시켰다. 진료 현장에서 어려움이 있을 때 해결책으로 활용하기 바란다. 시간이 있을 때

이 책을 처음부터 끝까지 읽어주기를 바란다. 독파할 수 있으면 내시경의 깊은 세계에 더욱 흥미를 느낄 수 있을 것이다.

기획으로부터 2년을 보냈으며, 훌륭한 동료 덕분에 기대했던 책으로 완성되었다고 자부하고 있다. 초기 내시경 수련에 이 책을 활용해 주기를 바란다.

2014년 9월 후지시로 미츠히로

주의

저자와 출판사는 이 책에 기재된 내용이 최신이고 정확하도록 최선의 노력을 했습니다. 그러나 약의 정보 및 치료법 등은 의학의 발전이나 새로운 지견에 의해 바뀌는 경우가 있습니다. 약의 사용이나 치료 전에 독자 스스로 충분히 주의하도록 바랍니다.

편집자

목차

column

내시경 진료 흐름도
내시경 검사가 필요한 환자의 진료

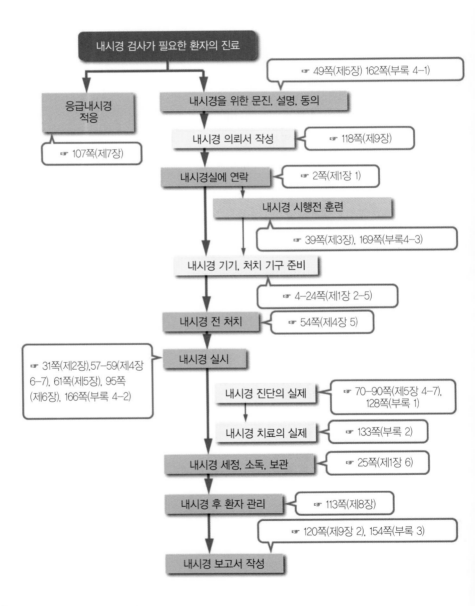

처음 시작하는 내시경 **Q&A**

Q1 내시경실을 잘 알기 위해서 처음에 누구와 친밀감을 쌓는 것이 좋을까요?

A 같은 나이 또래의 접수 담당자에게 먼저 말을 건넵시다. 그리고 누가 중요한 인물인지 물어 알아 두세요(자세한 내용은 2쪽, 1장-1 「내시경실의 이해」 참조).

Q2 내시경 촬영 방식에는 어떤 것이 있습니까?

A 면순차 방식과 동시 방식이 있습니다(자세한 내용 5쪽, 1장-3 「내시경 관찰법 이해」 참조).

Q3 내시경 조작부 버튼에는 어떤 것이 있습니까?

A 흡인 버튼과 송기·송수 버튼이 있습니다(자세한 내용은 9쪽, 1장-4 「내시경 스코프의 구조 이해」 참조).

Q4 클립 장전 방법의 주의점은 무엇입니까?

A 카트리지의 안까지 회전클립장치의 선단을 밀어넣고, 딸각 소리가 날 때까지 슬라이더를 앞으로 밀어내세요(자세한 내용은 14쪽, 1장-5 「내시경 검사시 처치 기구의 이해」 참조).

Q5 스코프 세정, 소독에서 가장 주의해야 할 점은 무엇입니까?

A 스코프를 광원에서 분리하면 먼저 방수캡을 씌워 주세요. 물이 들어가면 고장의 원인이 되고 고장 수리에 많은 경비가 필요합니다 (자세한 내용은 25쪽 1장-6 「사용 후 세척, 소독, 멸균, 보관」 참조).

Q6 EGJ와 SCJ의 차이를 알려 주세요.

A EGJ는 식도 근층과 위 근층의 경계이고, SCJ는 중층 편편상피와 선상피의 경계입니다(자세한 내용은 33쪽, 2장-2 「식도」 참조).

Q7 위의 3영역 구분과 단면 구분은 어떤 것입니까?

A '위암 취급 규약(제14판)'에 의한 위 부위의 구분으로, 장축을 U, M, L의 3영역으로 구분하고, 단축을 Ant, Less, Post, Gre의 4개 단면으로 구분합니다(자세한 내용은 34쪽, 2장-3 「위」 참조).

Q8 왼손으로 내시경 조작부를 잡는 방법을 알려 주세요.

A 표준 방법은 엄지를 앵글 놉에 검지를 흡인 버튼에 두고, 중지를 송기·송수 버튼에, 약지와 단지로 조작부를 잡으며 유니버설 코드는 팔뚝의 안쪽입니다(자세한 내용은 40쪽, 2장-1 「내시경을 잡는 방법의 이해」 참조).

Q 9 내시경 조작에서 J턴과 U턴은 어떤 조작입니까?

A J턴은 조작부, 삽입부가 보통 위치에서 up 앵글을 만드는 조작이고, U턴은 J턴에서 다시 조작부를 좌우로 선회시키는 조작입니다(자세한 내용은 42쪽, 2장-2 「내시경 움직임의 이해」 참조).

Q10 내시경 선단부는 어떻게 되어 있습니까?

A 내시경 선단부 구성의 이해는 효과적인 흡인 시행 등 실제 내시경 검사에서 매우 중요합니다(자세한 내용은 46쪽, 3장-3 「내시경 화면의 이해」 참조).

Q11 내시경 검사시 시술자의 복장은 평소의 흰 가운도 괜찮습니까?

A 감염 방지를 위해서 흰 가운인 채로 검사를 시행하는 것은 부적절하고 보기에도 좋지 않습니다. 검사용 옷으로 갈아 입고 검사를 시행해야 합니다(자세한 내용은 50쪽, 4장-1 「내시경 시행의사의 감염 대책」 참조).

Q12 환자에게 사전 설명과 당일 지시는 어떻게 하면 좋습니까?

A 검사 당일 금식하지만 수분 섭취는 가능합니다(중단해야 할 약의 지시나 당일 운전 등 자세한 설명은 51쪽, 4장-3 「환자의 동의」, 4장-4 「복용 약 상황」 참조).

Q13 전처치, 사전 투약 내용에 대해 알려 주세요.

A 원칙적으로 ① 환자의 복장 점검 ② 점액 제거 처치 ③ 국소 마취 ④ 연동 운동 억제제 투여 ⑤ 진정제 투여 등의 순서로 전처치를 시행합니다(자세한 내용은 54쪽, 4장-5 「전처치, 사전 투약」 참조).

Q14 진정제를 사용할 때 주의점은 무엇입니까?

A 여러 가지 약을 사용할 수 있으므로 우선 자신의 병원에서 사용하는 약에 대해 아는 것이 중요합니다. 다음에 적절한 진정법의 이해, 각 약의 특징, 우발 상황의 대책, 수술 중 모니터링의 이해가 필요합니다(자세한 내용은 57쪽, 4장-6 「진정」 참조).

Q15 경구내시경의 식도 삽입에서 반사를 줄이려면 어떤 주의가 필요합니까?

A 경구내시경에서 식도 삽입시 반사가 일어나기 쉬운 부위는, 구개를 넘을 때와 식도 입구 부위를 넘을 때입니다. 인두 후벽의 접촉에도 주의가 필요합니다(자세한 내용은 62쪽, 5장-1 「경구내시경의 식도 삽입」 참조).

Q16 위 관찰은 어떤 순서로 하면 좋습니까?

A 위 관찰에는 몇 가지 방법이 있는데 병원에 따라 다릅니다. 정해진 방법에 따라 항상 세밀히 관찰하는 것이 중요합니다(자세한 내용은 71쪽 5장-3 「일반 백색광 관찰법」 참조).

Q17 식도와 위에서 NBI 관찰 목적이 다릅니까?

A NBI 관찰은 식도에서 병변의 존재 진단과 심부 도달도 진단에, 위에서는 병변의 존재 진단, 범위 진단, 조직 진단 추측이 목적입니다(자세한 내용은 84쪽, 5장-6「식도의 영상 강조 관찰」88쪽, 5장-7「위의 영상 강조 관찰」참조).

Q18 상부 소화기내시경 검사시 우발증을 예방하려면 어떤 주의가 필요합니까?

A 상부 소화기내시경 검사에서 가장 주의해야 할 것은 식도 입구부 삽입시 천공입니다(자세한 내용은 91쪽, 5장-8「관찰시 우발증」참조).

Q19 Group 분류란 어떤 분류입니까?

A '위암 취급 규약'에 의한 위 생검 조직 진단 분류로, Group 10, 1, 2, 3, 4, 5로 분류합니다.
Group 3이 선종, Group 5가 암입니다(자세한 내용은 96쪽, 6장-2「위 생검」참조).

Q20 위암을 의심하는 함요 병변(depressed lesion)을 보았습니다. 어디서 생검하면 좋습니까?

A 색소내시경이나 NBI 확대내시경으로 관찰하여 암을 시사하는 소견을 확인하고, 점막 내 병변이나 침윤 병변이 표면에 노출되어 있는 부위에서 생검합니다(자세한 내용은 96쪽, 6장-2「위 생검」참조).

Q21 위암을 의심하는 병변을 2곳 보았습니다. 어떤 순서로 생검하면 좋습니까?

A 생검에 의한 혈액이 다음 생검 부위를 가리지 않도록 중력을 고려하여 차례로 생검합니다(자세한 내용은 96쪽, 6장-2「위 생검」참조).

Q22 응급내시경의 적응을 알려 주세요.

A 소화기 출혈이 대상이 되는 예가 많지만, 이물질 삼킴(자세한 내용은 149쪽, 부록 2-7「이물 제거」참조), 천공이나 담도 질환이 의심되는 예에서도 응급내시경을 시행합니다. 응급성과 안전성을 고려하여 시행합니다(자세한 내용은 108쪽, 7장-2「응급내시경의 적응」참조).

Q23 응급 내시경은 어떤 준비가 필요합니까?

A 되도록 문진이나 다른 검사(방사선, 채혈, 때로 CT 등)로 미리 충분한 정보를 수집하여 예상되는 질환에 대한 내시경 치료 준비가 필요합니다. 전신 관리를 위한, 혈관 확보나 수혈 준비도 시행하며, 한편 스코프 기종의 선택(워터 제트 기능), 어태치먼트 장착, 송수 펌프, 고주파 장치, 지혈 집게, 클립, 국소 주사제 등도 준비합니다(자세한 내용은 109쪽, 7장-4 '응급내시경의 준비' 참조).

Q24 내시경 검사를 끝내고 곧바로 자동차 운전을 허가해도 좋을까요?

A 사용한 약제에 따라 다르지만 진정 시행에서는 운전하지 않도록 지시해 주세요(자세한 내용은 114쪽, 8장-1「진정 시행 환자의 주의」참조).

Q25 내시경 검사를 끝내고 곧바로 식사를 해도 좋습니까?

A 음식이 폐로 넘어갈 위험이 있으므로 의식이 확실히 돌아와도 검사 후 2시간은 식사를 허용하지 않는 것이 좋습니다. 특히 고령자에서 위험이 높기 때문에 주의해 주세요(자세한 내용은 114쪽, 8장-2「일반 관찰 환자의 주의점」참조).

Q26 내시경 의뢰서 작성에 어떤 점에 주의하면 좋습니까?

A 내시경 검사나 병리 검사로 알고 싶은 것을 명확히 기재합니다. 그 진단에 필요하다고 생각하는 임상 정보를 제공합니다. 때로 검사가 금기되는 상황이 있습니다. 사용하는 스코프 기종(경비내시경, 초음파내시경, 확대내시경, 소장내시경)이나 준비하는 기기(이산화탄소 송기, EUS 프로브 등), 수액 경로 확보, 전문 시행의 등도 지시하는 경우가 있습니다(자세한 내용은 118쪽, 9장-1「내시경 검사 의뢰서 작성법」참조).

Q27 내시경 검사 보고서를 어떻게 쓰면 좋습니까?

A 내시경 검사 중에 내시경 진단을 포함하여 필요한 소견을 미리 머릿속에 생각해 둡니다. 만약 내시경 치료를 고려하면 그 적응 결정에 필요한 항목이 누락되지 않도록 유의합니다(자세한 내용은 120쪽, 9장-2「내시경 검사 보고서 작성법」참조).

Q28 병리 검사 의뢰서 작성법을 알려 주세요.

A 병리 검사는 내시경 소견의 확인을 위해 필요하며, 명확한 임상 진단과 구체적 병리 검사 목적을 병리의에게 전합니다. 지난 번 병리 소견도 기재하며, 필요하면 이전의 병리 검사 번호도 기록합니다(자세한 내용은 123쪽, 9장-3「병리 의뢰서 작성법」참조).

01

상부 소화기내시경 검사에
필요한 기초 지식

- 병원마다 내시경실 체제가 다르다. 내시경 전체(소화기, 호흡기, 비뇨기, 부인과, 두경부 영역)를 취급하는 곳에서부터, 소화기만 담당하거나 소화기에서도 담관 췌장 내시경은 구별하는 경우도 있다.
- 내시경실에는 접수 사무원, 조무사, 임상 공학기사, 간호사, 전임 의사, 각 진료과 의사 등이 일하고 있다.

> - 접수 사무원: 검사 의뢰 관리
> - 조무사: 내시경 기기, 처치 기구의 세척, 소독, 멸균
> - 임상 공학 기사: 내시경 기기, 처치 기구의 보수 점검, 관리
> - 간호사: 내시경 기기, 처치 기구의 준비, 전처치, 내시경 보조, 검사 후 설명
> - 각 진료과 의사: 검사 담당, 검사 소견 기록
> ※ 전체 관리는 내시경실장과 간호부장(도쿄대학의 경우)

- 내시경실은 접수, 대기실, 전처치실, 검사실, 회복실, 문진·설명실, 세척·소독실, 기자재 보관실, 스탭실 등으로 구성된다. 환자와 의료진의 동선이 교차하지 않도록 고려되어 있다. 청결 구역과 오염 구역 구분도 시행되고 있다(**그림 1**).

포인트

- 우선 접수에 가서 내시경실에서 시행하는 의료 행위 전체와 중요 인물(내시경실 관리 담당)을 알아 둔다.
- 중요 인물은 근무 기간이 오래된 소화기내시경 기사 자격을 가진 간호사나 임상공학 기사이다. 먼저 인사하고 "내시경실 운영"에 대해 자세히 듣는다.
- 내시경실에 출입하게 되면 내시경실장, 간호부장에게 "잘 부탁드립니다"라고 인사한다.
- 내시경실 직원의 이름을 잘 기억해 둔다.

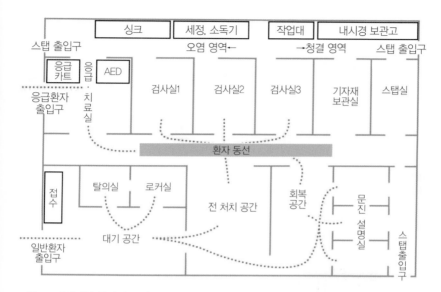

그림 1 　내시경실 환자의 동선

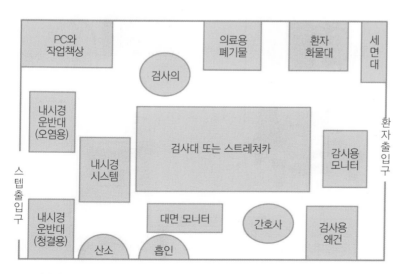

그림 2 　내사경 검사실 설계 예

- 내시경 검사실에는 내시경 시스템, 검사대 또는 환자 운반차, 흡인 장치, 전자 차트나 전자 내시경 시스템에 접속된 PC와 작업대, 검사 장비 운반차(색소 내시경, 생검, 간단한 처치 등을 위해), 의료용 폐기물통이 필요하다. 진정 시행에는 감시용 모니터, 흡입용 산소도 준비한다(그림 2).

2 내시경 기기의 역할 이해

a. 프로세서

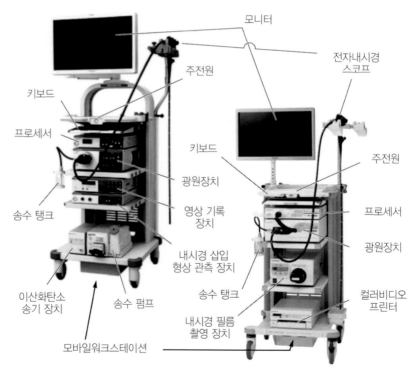

그림 3 내시경 시스템의 외관

상부 소화기내시경

- 내시경 시스템의 중추이며 스코프 첨단의 CCD에서 얻은 전기 신호를 영상 정보로 전환하여 영상화하는 동시에 시스템 내 각종 기기의 기능을 제어한다. 상급 기종은 얻은 영상 정보를 내부에 일시적으로 기록하여 전자 시스템 등의 외부 기기에 송신하는 기능도 있다.
- 주로 의사가 시행하는 것: 화이트 밸런스, 환자 정보의 전환(검사 전), 구조 강조, 색채 조정, 측광 전환(검사 중), 영상 처리(검사 후)

b. 광원 장치
- 일반적으로 백색광이나 협대역광, 자가 형광 관찰광 등 조명광을 발생하는 기능과 내시경 첨단에 송수·송기하는 기능도 있다.
- 주로 의사가 시행하는 것: 송기량 조정(검사 전, 검사 중), 광량 조정, 조사광 전환(검사 중)

3 내시경 관찰법의 이해

a. 면순차 방식(面順次方式)
- 제논(Xenon) 램프의 백색광이 R(적색), G(녹색) B(청색) 필터를 통해 물체에 도달한 빛을 차례로 단색 CCD에서 검출하여 영상 정보를 프로세서에서 합성하여 컬러 영상으로 모니터에 비추는 방법(그림 4) (Olympus사)

b. 동시 방식(同時方式)
- 제논 램프의 백색광을 그대로 물체에 쪼여 컬러 CCD로 검출한 영상 정보를 프로세서에서 조정하여 컬러 영상으로 모니터에 비추는 방법 (그림 5)(후지필름사, HOYA사)

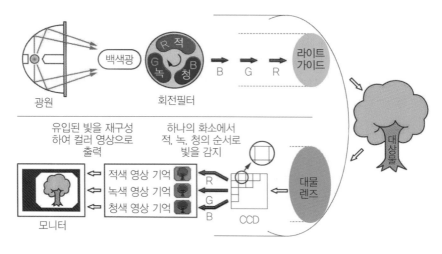

그림 4　RGB 면순차 방식

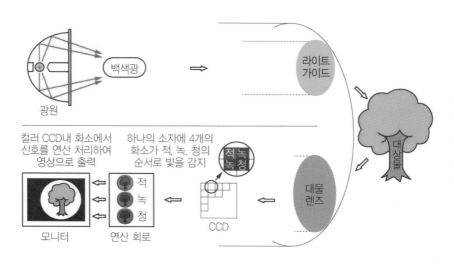

그림 5　컬러 동시 방식

c. 협대역광 관찰(narrow band imaging: NBI)

- 헤모글로빈의 흡광 특성에 맞추어 청색 415± 30 nm와 녹색 540 ± 30 nm의 좁은 2개 영역 스펙트럼광만을 통과하는 NBI 필터를 이용하며, 백색광으로 관찰하기 어려운 점막 표층의 미세 구조나 미세 혈관 구축을 강조한 내시경 관찰법의 하나(Olympus사)이다. 확대 내시경과 병용하여 정밀도가 높은 내시경 진단이 가능하다.

d. 디지털법 관찰(flexible spectral imaging color enhancement: FICE, i-scan)

- 백색광 관찰에서 얻은 영상 정보를 프로세서에서 분광 처리하여 임의의 파장 성분만을 추출하는 내시경 관찰법을 FICE(후지필름사), 프로세서에서 RGB 성분으로 나누어 각각의 톤 커브를 변환하는 내시경 관찰법을 i-scan (HOYA사)이라고 한다. NBI처럼 점막 표층의 시각 인식 향상을 목적으로 하며, 좁은 스펙트럼 폭의 빛을 이용하는 NBI에 비해 콘트라스트가 떨어지는 약점이 있다. 그러나 보다 밝은 영상을 얻을 수 있어 병변 발견에 NBI보다 유용할 가능성이 있다.

e. 자가 형광 관찰(autofluorescence imaging: AFI)

- 청색 여기광(390-440 nm)에 의한 자가 형광이 정상 조직에 비해 종양에서 감소되는 특성을 이용한 내시경 관찰법의 하나이다(Olympus사). 자가 형광 감소는 종양의 ① 점막 비후에 의한 빛의 흡수, 산란 ② 혈액 중 헤모글로빈에 의한 빛의 흡수 등에 의한다. 또한 헤모글로빈에 흡수되기 쉬운 녹색 광(540-560 nm)을 조합하여 정상 조직, 염증, 종양의 식별능 향상도 시도한다.

f. 청색 반도체 레이저광 관찰(blue laser imaging: BLI)

- 종래의 내시경 시스템 광원 장치인 제논 램프 대신 450± 10 nm의 레이저광을 이용하여 형광체를 발광시켜 백색광 조명을 얻는다. 또

NBI처럼 표층 혈관 관찰에 적당한 단파장 레이저광(410 ± 10 nm)을 동시 또는 단독으로 조사하여 협대역광관찰을 시행하는 내시경 관찰법의 하나이다(후지필름사).

g. 광대역 제한광 관찰(band limited light imaging)

- 광학 필터에 의해 제논 램프에서 나오는 백색광의 대역을 부분적으로 조합하여 콘트라스트가 높은 영상을 얻는 내시경 관찰법의 하나. Optical Enhancement (OE) Mode 1과 Mode 2가 있다(**그림 6**)(HOYA사)

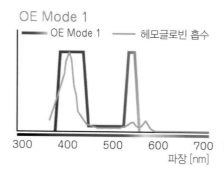
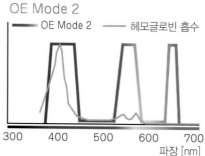

그림 6   Optical enhancement의 광학 특성

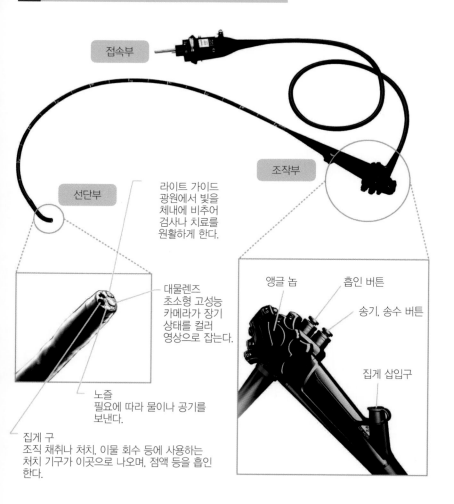

접속부

조작부

선단부

라이트 가이드
광원에서 빛을
체내에 비추어
검사나 치료를
원활하게 한다.

대물렌즈
초소형 고성능
카메라가 장기
상태를 컬러
영상으로 잡는다.

노즐
필요에 따라 물이나 공기를
보낸다.

집게 구
조직 채취나 처치, 이물 회수 등에 사용하는
처치 기구가 이곳으로 나오며, 점액 등을 흡인
한다.

앵글 놉   흡인 버튼

송기, 송수 버튼

집게 삽입구

그림 7   전자내시경 스코프의 각 부분 명칭과 기능

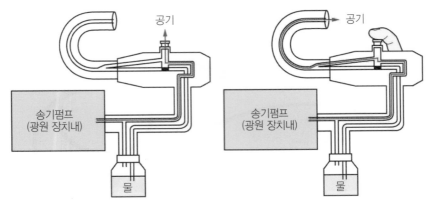

송기 펌프의 스위치를 놓으면
공기는 관을 따라 송기 · 송수
버튼의 구멍에서 밖으로 나간다.

송기 · 송수 버튼을 손가락으로 막으면
공기가 스코프 앞의 송기 · 송수 노즐에서
소화기 안으로 들어간다.

그림 8 송기의 원리

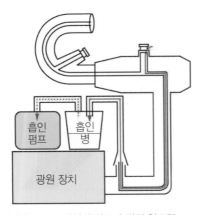

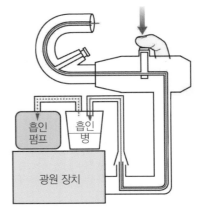

평상시 스코프 선단의 관로가 닫혀 있으면
흡인 버튼의 틈으로 공기가 관로 내로
들어간다.

흡인 버튼을 누르면 스코프 첨단의 관로가 열려
소화기 내용물이 흡인된다.

그림 9 흡인의 원리

상부 소화기내시경

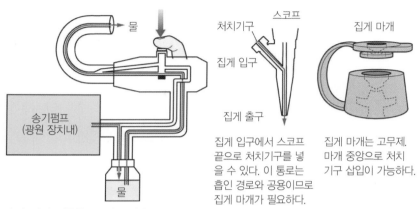

물

송기펌프
(광원 장치내)

물

송기 · 송수 버튼을 누르면 공기가
송수 탱크로 보내져 그 압력으로
송기 · 송수 노즐에서 물이 나온다.

처치기구

스코프

집게 입구

집게 출구

집게 입구에서 스코프
끝으로 처치기구를 넣
을 수 있다. 이 통로는
흡인 경로와 공용이므로
집게 마개가 필요하다.

집게 마개

집게 마개는 고무제.
마개 중앙으로 처치
기구 삽입이 가능하다.

그림 10   송수의 원리

그림 11   집게 입구의 기능

- 내시경 검사 전 검사의가 해야할 점검사항(권장): 만곡 기전, 내시경
  영상, 원격 스위치, 송기·송수 기능, 흡인 기능을 점검한다. 가능하면
  집게(forceps, 鉗子) 채널 점검도 시행한다(**표 1**).

표 1   내시경검사 시작 전 점검

원활한 작동 점검	☐	UD 앵글 고정 레버와 RL 앵글 고정 레버를 'F'방향 끝까지 움직여 UD와 RL의 각 앵글 놉의 고정이 풀리는지 손의 촉감으로 확인한다.
	☐	UD와 RL의 각 앵글 놉을 각 방향의 정지에서 천천히 돌려 원래대로 돌아가는지, 작동되는지, 덜컥거리는지, 걸리는지 등 이상이 없는 것을 손의 촉감으로 확인한다. 또 구부러지는 부분이 만곡각도까지 부드럽게 구부러졌다가 돌아오는지 눈으로 확인한다.
	☐	UD와 RL의 앵글 놉을 중립 위치에 두었을 때 구부러지는 부분이 거의 똑바로 있는지 눈으로 확인한다.
UD 앵글 작동 점검	☐	UD 앵글 고정 레버를 'F'와 반대 방향 끝까지 움직여 UD 앵글놉을 'U'또는 'D'방향에 멈출 때까지 돌린다.
	☐	UD 앵글 놉에서 손을 떼어 구부러지는 부분의 구부러진 모양이 대략 고정되는지 눈으로 확인한다.
	☐	UD 앵글 고정 레버를 'F'방향 끝까지 움직여 UD 앵글 놉이 고정에서 해제되어 구부러진 부분이 직선 방향으로 자연스럽게 돌아가는지 눈으로 확인한다.
RL 앵글 작동 점검	☐	RL 앵글 고정 레버를 'F'와 반대 방향 끝까지 움직여 RL 앵글 놉이 'R'또는 'L'방향에 멈출 때까지 돌린다.
	☐	RL 앵글 놉에서 손을 떼어 구부러지는 부분의 구부러진 모양이 대략 고정되는지 눈으로 확인한다.
	☐	RL 앵글 고정 레버를 'F'방향 끝까지 움직여 RL 앵글 놉이 고정에서 해제되어 구부러진 부분이 직선 방향으로 자연스럽게 돌아가는지 눈으로 확인한다.
내시경 영상 점검	☐	비디오시스템, 광원장치, 모니터 등 관련 기기에 전원을 넣어 일반 관찰 영상을 점검한다. 이때 손바닥을 관찰하여 조사광이 적당한지, 노이즈나 흐림이 없는지 확인한다.
원격 스위치 점검	☐	여러 스위치를 눌러 설정된 기능이 정상적으로 작동되는지 확인한다.

송기 기능 점검	☐	광원 장치의 취급 설명서에 따라 송기압을 '강'으로 설정한다.
	☐	내시경 선단부를 약 10 cm의 물에 담가 송기 송수 노즐에서 기포가 나오지 않는 것을 눈으로 확인한다.
	☐	분무 버튼 또는 송기 송수 버튼의 구멍을 손가락으로 막아 송기 송수 노즐에서 기포가 계속 나오는 것을 확인한다.
	☐	분무 버튼 또는 송기 송수 버튼의 구멍에서 손가락을 떼어 송기 송수 노즐에서 기포가 나오지 않는 것을 눈으로 확인한다.
송기 송수 버튼 점검	☐	송기 송수 버튼 구멍을 손가락으로 막고 눌러 내시경 화면에서 물이 흘러나오는 것을 확인한다.
	☐	송기 송수 버튼 구멍에서 손가락을 떼어 내시경 화면의 물 흐름이 멈추고 버튼이 원활하게 원래 위치로 돌아가는지 눈으로 확인한다.
	☐	송기 송수 버튼 구멍을 손가락으로 막으면 공기가 나온다. 이 공기가 대물 렌즈 표면의 물기를 제거하여 내시경 화면이 깨끗해지는 것을 확인한다.
흡인 기능 점검	☐	물이 들어 있는 용기와 내시경을 같은 테이블에 두고 흡인기를 검사시 흡인압으로 조정한다.
	☐	내시경 집게 입구 높이와 물이 들어있는 용기 수위를 거의 같게 하고 내시경 선단을 물에 넣고 흡인 버튼을 눌러 물이 흡인 병안으로 흡인되는지 눈으로 확인한다.
	☐	흡인 버튼에서 손가락을 떼어 물의 흡인이 중단되고 버튼이 원 위치로 돌아오는지 눈으로 확인한다.
	☐	흡인 버튼을 눌러 1초간 흡인 후 1초간 흡인을 정지한다. 이 조작을 몇 번 반복하여 집게 마개에서 물이 새지 않는지 눈으로 확인한다.
	☐	내시경 선단을 물에서 꺼내 흡인 버튼을 눌러 수초간 공기를 흡인하여 집게 채널 및 흡인 채널 내의 물을 제거한다.
집게 채널 점검	☐	처치 기구를 집게 채널에 삽입하여 내시경선단부의 집게 출구까지 처치 기구가 원활하게 나오는지, 이물 배출은 없는지 눈으로 확인한다.
	☐	처치 기구가 집게 마개에서 원활하게 끌려 나오는지 눈으로 보고 손의 감촉으로 확인한다.

- 처치 기구에는 일회용 제품과 재사용 제품이 있으며 일회용 제품은 의료 폐기물로 파기하고, 재사용 제품은 사용 후 세정, 소독, 멸균한다.
- 처치 기구는 직경에 따라 적응 채널이 다르다. 2.8 mm의 집게 입구에 사용하는 장비는 2 mm 집게 입구를 가진 스코프에는 사용할 수 없는 반면, 2 mm의 집게 입구에 적용 가능한 장비는 2.8 mm의 집게 입구를 가진 스코프에 사용 가능하다.
- 스코프의 길이도 고려한다. 상부 스코프용 장비는 대장 스코프나 소장 스코프에서는 길이가 짧다. 소장 스코프용이나 대장 스코프용의 장비는 상부 스코프에서 길이가 너무 길어 내시경 보조에 대책이 필요하다.

a. 마우스피스
- 내시경 스코프를 환자가 물어 고장나지 않도록 하기 위해 사용한다. 최근에는 환자의 고통을 감소시키는 내시경 진행 방향을 가이드하는 원통이 붙어 있는 것도 시판되고 있다(**그림 12**).

b. 선단 어태치먼트
- 스코프 선단을 소화기 벽에 고정시켜 확대내시경 관찰을 쉽게한다. 또 양호한 시야를 확보하고, 삽입을 쉽게 하기 위해 내시경 치료나, 대장내시경 삽입시에도 사용한다(**그림 13**).

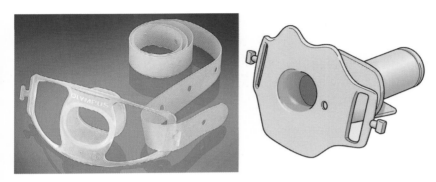

그림 12   마우스피스의 외관

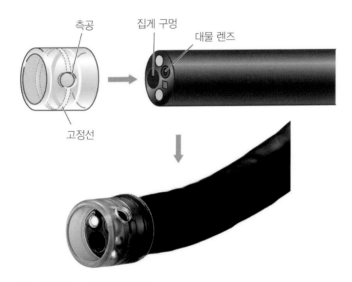

측공

집게 구멍

대물 렌즈

고정선

그림 13   선단 어태치먼트의 외관과 구조

〈부착 방법〉

　　① 대물 렌즈 옆에 측공이 오도록 위치를 맞춘다.

　　② 고정선까지 스코프 첨단을 눌러 장착한다.

〈배수 방법〉

　　내시경의 시야에 액체가 모여 있을 때 측공을 점막에 누르면 시야가 개선된
　　다.

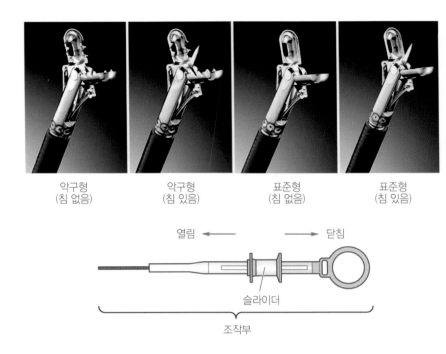

악구형
(침 없음)

악구형
(침 있음)

표준형
(침 없음)

표준형
(침 있음)

열림 ← → 닫침

슬라이더

조작부

그림 14　생검 집게의 종류와 구조

c. 생검 집게(그림 14)

- 내시경하에서 조직 채취에 이용한다. 악구형(alligator type)은 표준형
  보다 조직 포착력이 강하나 자르는 느낌이 둔하다. 침 부착형은 조직
  포착시 밀림을 방지하는 장점이 있다.

d. 세정 튜브(그림 15)

- 세정액으로 내강 세척이나 약제 용액을 주입하는 표준형과 선단부에
  서 원형으로 용액을 살포하는 살포형이 있다. 크리스탈바이오렛 등의
  염색법에는 표준형을, 인디고카민(indiogocarmine)에 의한 콘트라스
  트법이나 요오드에 의한 반응법에는 살포형이 좋다.

상부 소화기내시경

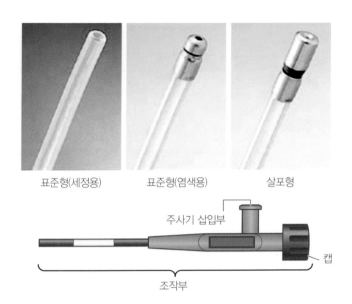

표준형(세정용)   표준형(염색용)   살포형

주사기 삽입부

캡

조작부

그림 15 세정 튜브의 종류와 구조

e. 주사침(그림 16)

- 외과 수술시 절제 범위를 결정하기 위한 흑색 마킹, 지혈 처치나 내시경적 점막 절제술(endoscopic mucosal resection: EMR) 등에 사용한다. 바늘이 나온 채 집게 입구로 집어 넣으면 채널에 구멍이 나는 고장의 원인이 되고, 또 바늘이 나온 채 제거하면 찔리는 등의 의료사고가 생길 수 있어 주의한다.

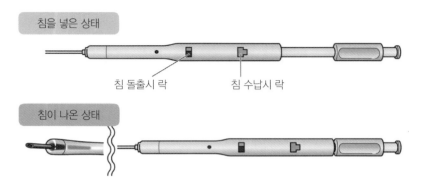

침을 넣은 상태

침 돌출시 락   침 수납시 락

침이 나온 상태

그림 16   주사침의 구조

f. 포착 집게

- 이물 제거나 EMR에서 조직 포착, 회수 등에 사용한다. 조직을 포착하기 쉬운 V자 악구형과 조직 으스러짐이 적은 V자형의 각각 여러 가지 크기가 있어 상황에 따라 구분하여 사용한다. 특수한 형태로 3각형, 5각형도 있다(**그림 17**).

g. 회전 클립 장치(**그림 18**)

- 클립 장착 방법과 클리핑 방법은 그림 19와 같다.
- 외과 절제시 절제 범위를 결정하기 위한 마킹, 지혈 처치나 천공 등의 우발 상황 발생시 등에 사용한다. 클립은 응급시에 많이 사용하며, 내시경 검사의 용도별로 구분하여 사용한다(**그림 20**). 사전에 사용법을 충분히 이해해 두어야 한다.

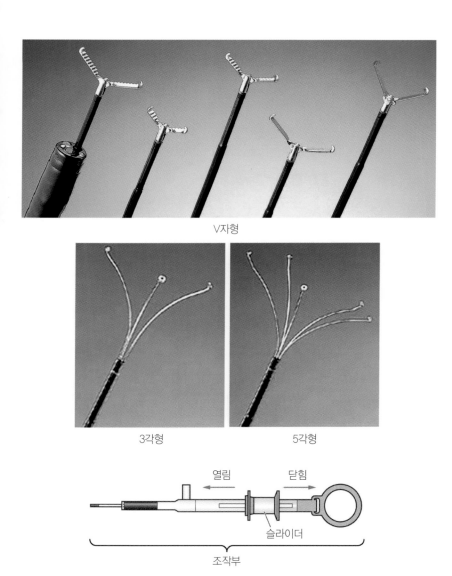

V자형

3각형   5각형

열림   닫힘

슬라이더

조작부

그림 17   포착 집게의 종류와 구조

누른다

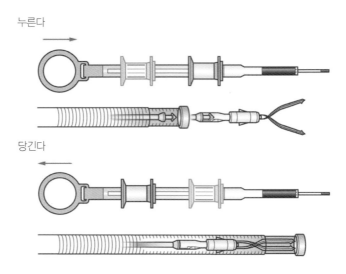

당긴다

그림 18 회전 클립 장치의 외관과 구조
Sheath를 카트리지에 넣어 슬라이더를 전후로 움직이는 장치

클립 장전 방법

카트리지

1 패키지를 열어
카트리지를 꺼낸다

슬라이더

2 슬라이더를 손 앞
까지 당긴다

3 코일을 바로 잡고
카트리지를 코일
sheath에 씌운다.

상부 소화기내시경

연결봉

클립부

틈새

틈새

2회 이상 클립 장전시에는 연결봉이 나와 있는지 확인한 다

4 카트리지를 클립부에 물려 코일 sheath를 유지한다. 이때 코일 sheath가 내려오는지 확인한다.

[주의] 6의 클립 장전이 끝날 때까지 카트리지의 클립을 잡고 있는다. 클립은 코일 sheath와 카트리지가 맞지 않으면 장전되지 않는다.

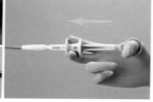

딸각

5 카트리지 내의 클립이 딸각 소리가 날때까지 슬라이더를 앞으로 민다.

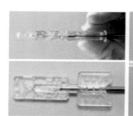

6 다음에 슬라이더를 손쪽으로 잡아 당긴다.

클립이 코일 시린지 내에 들어가 있다.
클립 장전 완료

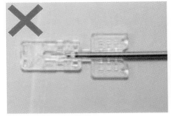

[확인] 카트리지 내에 클립이 남아있지 않은지 확인한다.

클립이 코일 sheath 밖으로 나와 있지 않은지 확인한다.

클리핑 방법

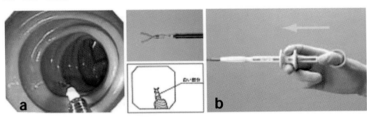

1 내시경 삽입 후 슬라이더를 천천히 밀어내어 클립의 흰 부분이 보일 때까지 코일 sheath를 민다. 위 그림 (b) 상태시 내시경 화면에서 그림 (a) 처럼 보인다.
  * 이때 벽에 닿지 않도록 주의

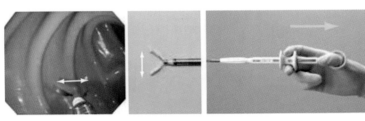

2 슬라이더를 천천히 당겨 클립을 최대한 벌린다.

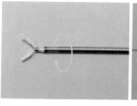
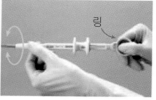

링

3 링(황색)만을 잡고 회전 크립을 돌려 클립을 회전시킨다.
[참고] 회전 클립을 돌리면 슬라이더도 같이 돌아간다. 회전시 슬라이더에 손을 대지 않는다.

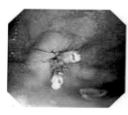
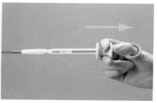

4 링(목적 부위에 클립을 대고 슬라이더를 끌어당긴다.
클리핑 완료

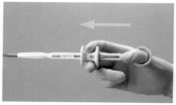

5 내시경에서 장치를 빼내고, 슬라이더를 눌러 코일 sheath에서 후크를 밀어낸다.

후크를 제거하기 위해 연결봉을 구부린다.

그림 19 클립 장착 방법과 클리핑 방법(올림푸스사 제공)

	HX-610-090SC	HX-610-090S	HX-610-090	HX-610-090L
클립 머리의 모양 각도	90°	90°	90°	90°
클립 팔의 길이	short	short	normal	long
포장재의 색 표시	Red/White/Yellow	White	Yellow	Blue
한 상자의 수량	24	40	40	40

	HX-610-135XS	HX-610-135S	HX-610-135S	HX-610-135L
클립 머리의 모양 각도	135°	135°	135°	135°
클립 팔의 길이	supershort	short	normal	long
포장재의 색 표시	Gray	Green	Pink	Purple
한 상자의 수량	24	40	40	40

그림 20 클립의 사양(Olympus사)

6 사용 후 세정, 소독, 멸균, 보관

a. 처치 기구

- 재사용 가능한 처치 기구는 사용 후 세제에 담금, 초음파 세정, 물로 닦음, 윤활제 바름, 가압 멸균(100℃ 이상으로 가열하며 포화 수증기에 의해 미생물의 단백질 변성을 일으켜 멸균)한다(**그림 21**).

b. 전자내시경 스코프

▷ 검사 종료 직후 세정

- 내시경 외부에 묻어 있는 점액, 혈액, 오물을 제거하기 위해 거즈로 닦는다.
- 흡인 채널 안을 세정한다. 효소 세제 200 mL를 흡인한다. 물의 세정력은 효소 세제에 비해 떨어진다.

주의!

▷ 세제 대신 소독액(알코올, 클로르헥시딘 등)을 사용하면 유기물을 응고시키므로 사용하지 않는다.

- 송수 병에 접속된 튜브나 광원에 부속된 스코프 케이블은 알코올 거즈나 저수준 소독액으로 닦아 소독한다. 내시경의 흡인구에 접속된 흡인 튜브 끝에는 오물이 부착되어 있으며, 마지막에 알코올 거즈로 싸서 소독한다(주위에 확산 방지).

▷ 내시경 외부(바깥 표면) 세정

- 내시경을 광원에서 분리하여 방수캡을 씌운다.
- 세정대에 더운 물을 흘리며 세제(중성 세제, 효소제 등)를 이용하여 스펀지나 거즈 등으로 내시경 외부의 오염을 제거한다.

담금

- 전용 용기에 세정제를 미리 준비한다.
- 사용 후 즉시 집게 전체를 세정제에 담근다.
- 용액 주입구가 있는 것은 주사기를 이용하며, 세정제 10 mL를 주사기로 주입한다.
- 초음파 세정 전까지 세정제에 담가 둔다.

초음파 세정

- 초음파 세정기 통 안에 세제를 미리 준비한다.
- 용액 주입구가 있는 것은 주사기를 이용하며, 세정제 10 mL를 주사기로 주입한다.
- 집게 전체를 통 안 세제에 담가 30분간 초음파 세정을 시행한다.

물로 씻음

- 흐르는 수도물로 세정제를 헹군다.
- 용액 주입구가 금속인 것은 주사기를 이용하며, 수도물 10 mL를 2회 주입한다.

윤활제를 바른다

- 전용 용기에 윤활제를 미리 준비한다.
- 집게 전체를 윤활제에 담근다.
- 용액 주입구가 금속인 것은 주사기를 이용하며, 윤활제 10 mL를 주사기로 주입한다.
- 용액 주입구가 금속인 것은 주사기를 이용하며, 공기 10 mL를 주사기로 주입한다.
- 작동을 확인한다.

가압 멸균(auto clave)

- 멸균 백에 집게를 넣어 밀봉한다.
- 강제 배기 방식: 132–134℃, 5분간 시행한다.

그림 21 처치기구의 세정 · 멸균 방법

상부 소화기내시경

- 특히 내시경의 조작부, 삽입부를 꼼꼼히 세정한다. 선단 렌즈면은 부드러운 솔로 세정한다.

주 의!

- 방수캡을 씌우지 않고 세정대에 담그면 전기 계통에 고장을 일으켜 고액의 수리비(여러분의 급여보다 몇 배나 많은)가 발생한다. 반드시 방수캡을 먼저 씌우는 습관을 가져야 한다.

▷ 부속 부품의 세정
- 송기·송수 버튼, 흡인 버튼, 집게 입구를 제외하고 구석구석 세정한다. 특히 집게 입구는 오염 제거가 어렵기 때문에 뚜껑을 열어 솔로 깨끗이 세정한다.

▷ 흡인, 집게 채널의 솔질
- 집게 채널의 솔질은 흐르는 물이나 효소 세제 모두 좋다. 채널 청소용 솔을 이용하여 솔이 선단에서 보일 때까지 솔로 부드럽게 씻는다. 솔질은 감염 방어에 중요한 요점이다.
- 3 방향을 솔질한다(① 흡인 버튼 설치점부터 집게 출구까지 ② 흡인 버튼 설치점부터 흡인 입구까지 ③ 집게 삽입구부터 집게 채널의 분기부까지). ④ 흡인 실린더 일부를 솔질한다(**그림 22**).

포인트

- 적절한 솔질 회수는 관찰만 했는지 생검이나 치료 처치를 했는가에 따라 크게 다르다. 눈으로 보아 오염이 없어질 때까지 솔질을 한다. 솔은 집게에 맞는 것을 이용하고 낡은 것은 사용하지 않는다.

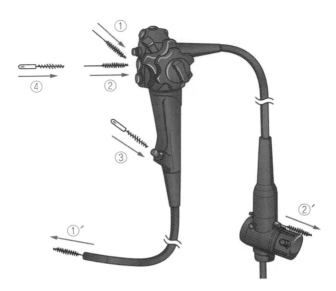

그림 22 흡인, 집게 채널의 솔질

▷ 효소 세제액에 담금
- 채널 세정 장치(전관로 세정기구 등)을 부착하여 효소 세제액에 담근 후 채널 내 기포를 충분히 빼내 세제액이 채널 전체에 가득 차도록 한다.
- 효소 세제의 규정 농도, 규정 시간(2-5분간) 동안 담그고, 35-40℃ 정도로 가온하면 좋다.

▷ 헹굼
- 내시경 외부는 흐르는 물로, 흡인·집게 채널은 채널 세정 장치를 이용하여 물로 충분히 헹군다.

▷ 소독
- 내시경의 고수준 소독약으로는 현재 글루타르 이외에 프탈 및 초산이 이용된다.

상부 소화기내시경

- 글루타르를 이용한 소독은 세제를 충분히 제거한 후에 내시경 외부와 모든 내시경 채널에 2% 이상의 용액을 채워 10분간 담근다.

▷ 소독액 헹굼
- 내시경 외부는 흐르는 물로, 흡인·생검 집게 채널은 채널 세정 장치를 이용하여 200 mL 이상의 물로 헹군다.

▷ 건조
- 70% 이소프로필알코올이나 70% 에탄올 10 mL 이상을 각 채널에 넣고 송기 또는 흡인으로 건조한다.
- 알코올 건조 추가는 결핵균 등의 항산균에 대해 효과를 기대할 수 있다.

▷ 보관
- 내시경 채널 내에 수분이 있으면 보관 중에 세균이 증가하므로, 세균 증가를 막기 위해 건조시킨다. 내시경은 송기·송수 버튼, 흡인 버튼, 집게 마개 등을 씌우지 않고 내시경 걸이에 걸어 보관한다.

주의!
- 소독 후 내시경 스코프는 절대로 맨손으로 잡지 않는다. 보관고에 넣거나, 보관고에서 꺼낼 때 특히 주의한다.

▷ 자동 세정기 세정(그림 23)
- 자동 세정기 세정은 반드시 내시경의 흡인 세정, 내시경 외부 세척, 그리고 흡인·생검 채널 솔질 후에 시행한다.
- 손을 사용하는 과정을 생략할 경우, 자동 세정기에서는 완전한 세정, 소독이 되지 않는다는 것에 주의한다.

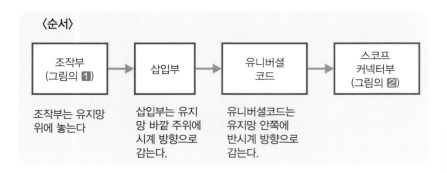

〈순서〉

조작부
(그림의 **1**) → 삽입부 → 유니버설
코드 → 스코프
커넥터부
(그림의 **2**)

조작부는 유지망 위에 놓는다

삽입부는 유지망 바깥 주위에 시계 방향으로 감는다.

유니버설코드는 유지망 안쪽에 반시계 방향으로 감는다.

- 세정 튜브는 반드시 누수 검사를 끝낸 후 접속한다.

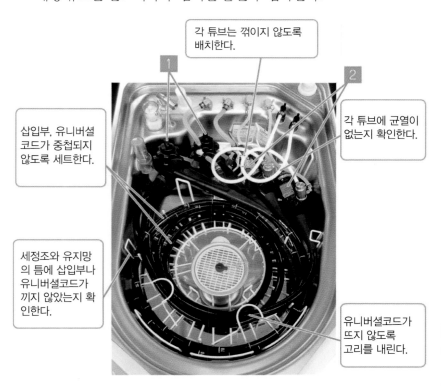

각 튜브는 꺾이지 않도록 배치한다.

각 튜브에 균열이 없는지 확인한다.

삽입부, 유니버설 코드가 중첩되지 않도록 세트한다.

세정조와 유지망의 틈에 삽입부나 유니버설코드가 끼지 않았는지 확인한다.

유니버설코드가 뜨지 않도록 고리를 내린다.

그림 23   자동 세정기 세팅 방법

02
상부 소화기내시경 검사에
필요한 국소 해부

- 소화기의 입구인 구강은 앞과 옆을 입술과 뺨으로, 위쪽을 구개로, 아래쪽을 혀와 구강 바닥으로 둘러싼 공간이며 인두에 연결된다.
- 인두는 상인두, 중인두, 하인두의 세 부분으로 나눈다. 하인두는 식도에 연결된다. 상인두는 후비공을 통해 비강에, 중인두는 구개설궁으로 구강에, 하인두는 후두구를 통해 후두에 연결된다.

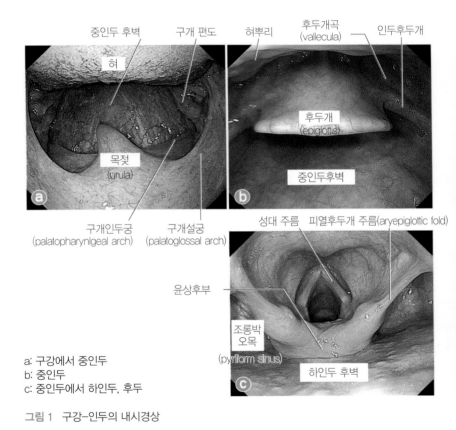

a: 구강에서 중인두
b: 중인두
c: 중인두에서 하인두, 후두

그림 1 구강-인두의 내시경상

- 인두에서 위에 연결되는 길이 약 25 cm, 가로 둘레 약 5-6 cm의 관 모양 장기이며 경부, 흉부, 복부 식도로 나눈다.
- 경부 식도의 위쪽은 하인두에 연결되고, 윤상연골 아래쪽부터 흉골 위쪽 가장자리까지, 흉부 식도는 경부 식도에 이어서 후종격을 하행한다. 다음에 횡격막의 식도 열공을 통해 복강에 들어가 복부 식도가 된다.
- 흉부 식도는 흉골 위쪽 가장자리부터 기관 분지부 아래까지의 흉부

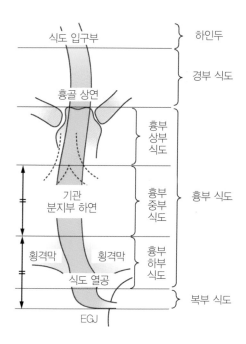

그림 2 식도의 구분

상부 식도와 기관 분기부 아래부터 식도위 접합부(esophagogastric junction: EGJ)까지로 2등분하여, 위쪽을 흉부 중부 식도, 아래쪽을 흉부 하부 식도로 구분한다.

포인트

- EGJ은 식도근층과 위근층의 경계이지만, 내시경적으로는 식도 하부의 울타리 모양 혈관의 하단이나, 위 종주름의 입쪽 끝부분으로 진단한다.
- 한편 sqamocolumnar junction (SCJ)은 중층 편평 상피와 선 상피의 경계이며, Barrett 식도에서는 SCJ와 EGJ가 일치하지 않고 근위부에 존재한다.

---

3 위 (그림 3a, b)

- 위는 분문에서 식도에, 유문에서 십이지장에 연결된다. 장축의 길이는 소만(lesser curvature)에서 약 15 cm, 대만(greater curvature)에서 약 30-40 cm 정도이다

- 부위별 명칭이 다양하나 '소화기내시경 용어집'에는, 장축에서 분문부, 궁륭부, 위체부, 위각부, 전정부, 유문전부, 유문륜으로 나눈다. 위체부는 위체상부, 중부, 하부로 세분한다. 단축에서는 전벽(Ant), 소만(Less), 후벽(Post), 대만(Gre)으로 구분한다. '위암 취급 규약'에서는 위의 대망과 소만을 3등분하고 각 점을 연결하여 상부(U), 중부(M), 하부(L)로 구분한다.

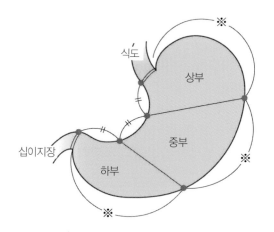

그림 3a 위의 3 영역 구분

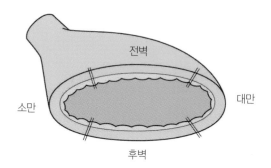

그림 3b 위의 단면 구분

4 십이지장 (그림 4)

- 십이지장은 소장의 처음 부분이며 위의 유문을 넘은 부위부터 트라이 츠 인대의 부착부 부근의 십이지장 공장 만곡까지 구간이다.
- 구부(제1부), 하행부(제2부), 수평부(제3부), 상행부(제4부)로 나눌 수 있다. 구부는 전후면이 복막으로 싸여있으나, 다른 부분은 전면만 복 막으로 싸이고 등쪽은 후복막에 고정되어 있다. 하행부에는 대(주)유 두, 소(부)유두가 있다.

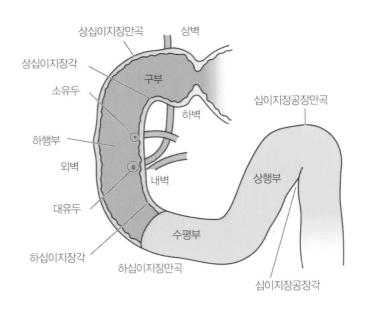

그림 4 십이지장의 해부

내시경 고정이 어려운가?

내시경 훈련을 시작한 지 얼마 안 된 무렵에는 어떻게 하면 내시경을 부드럽게 움직일 수 있는지 고민하지만, 점차 내시경 조작에 익숙해지면 내시경을 움직이지 않고 고정하는 것이 문제가 된다. 상부 소화기 내시경 검사 목적은 병변을 발견하여 깨끗하게 촬영하고, 필요하면 생검 조직을 채취하는 것이다. 이 일련의 작업에는 심박동이나 호흡 변동, 위의 연동 운동, 피검자의 몸 동작 등에 의해 내시경 주위가 시시각각으로 움직이고 있는 중에 내시경 화면을 적절한 위치에서 정확하게 정지하는 조작이 필요하다.

초보자가 보기에는 상급자가 어떤 장소의 병변에도 내시경으로 근접하여 깨끗한 사진을 흔들림 없이 촬영하고, 때로는 확대 관찰이나 초음파 프로브의 관찰, 또 밀리미터 정도의 생검 부위 선택 등을 아주 간단하게 하는 것처럼 보인다. 이것은 적절한 장소에서 주위의 움직임에 영향을 받지 않고 내시경 화면을 정지하기 때문에 가능해지는 것이다.

"백조가 물 위를 우아하게 미끄러지고 있지만, 물 밑에서는 필사적으로 물갈퀴를 하고 있다"라는 말처럼, 숙달한 사람의 우아한 내시경 검사는 백조처럼 앵글이나 스코프 위치를 움직일 뿐 아니라, 흡인, 송기, 송수의 미세 조정, 스코프에서 전해지는 감각에 의한 수정 등, 무의식적으로 다양한 일을 동시에 시행하여 내시경 화면을 정지시킨다. 따라서 내시경 화면의 정지는 치료에서 매우 중요하다. 이것을 말로 가르치기는 어렵고, 상급자의 내시경 검사를 철저히 관찰하여 체득하는 수밖에 없다.

Memo

03

상부 소화기내시경 검사 시행 전 자기 연습법

- 실제로 상부 소화기내시경 검사를 시행하기 전에 내시경 잡는 방법, 조작법, 내시경 화면 등에 대해 충분히 이해하고 사전 훈련이 중요하다.

1 **내시경 잡는 방법의 이해**

a. 내시경 잡는 방법

- 오른손: 오른팔을 겨드랑이에 붙이고, 팔꿈치가 자연스러운 둔각이 되는 위치에서, 피검자의 입에서 15-20 cm 정도의 삽입부를 악수하듯이 가볍게 쥔다(**그림 1**).

포인트
- 오른손은 삽입부를 회전시킬 때 이외에는 가볍게 잡는다. 이렇게 하면 오른손으로 삽입부의 저항을 느낄 수 있어 보다 안전한 검사가 가능해진다.

- **왼손**: 조작부를 잡는 표준 방법은 엄지를 앵글 놉에, 검지를 흡인 버튼에, 중지를 송기·송수 버튼에, 약지와 단지로 조작부를 잡아 코드가 팔 안 쪽에 온다(**그림 2**).

그림 1 삽입부를 쥐는법(오른손)

b. 흡인, 송기 · 송수 버튼(그림 2)

- 검지로 흡인 버튼을 누르면 집게 채널로 흡인할 수 있고, 중지를 송기 흡인 버튼에 대면 노즐에서 송기되며, 버튼을 누르면 노즐에서 송수 되어 렌즈를 세정할 수 있다.

c. 앵글 조작(그림 2)

- 앵글을 조작하는 놉은 안쪽이 UD (up-down), 바깥쪽이 RL (right-left)이다. 앵글 놉은 UD 앵글 고정 레바와 RL 앵글 고정 놉으로 고정 할 수 있다.

포인트

- 대장내시경 검사와 상하부내시경 치료의 숙달에 더해 왼손만으로 앵글을 조작하는 훈련이 중요하다.

그림 2 조작부를 잡는 표준 방법(왼손)과 각 부위 명칭

그림 3 **조작부를 보다 깊이 잡는 방법**
엄지와 중지로 RL 앵글 놉을 깊이 잡는다(→)

- 잡는 방법의 표준은 좌우 앵글 놉에 손가락을 대지 않으면서 중지로 좌우 앵글을 깊이 잡는것이다(**그림 3**). 이렇게 하면 엄지와 중지로 RL 앵글 놉을 예민하게 조작을 할 수 있어 보다 섬세한 앵글 조작이 가능해진다. 일반 검사시에 이런 조작을 훈련해 두면 대장내시경 검사나 내시경 치료에 유용하다.

2 내시경 움직임의 이해

- 내시경 조작은 조작부와 삽입부의 움직임과 조작부의 앵글을 움직이는 것으로 구성된다.

a. 조작부, 삽입부의 작동

- 조작부, 삽입부의 작동으로 내시경 선단부가 어떻게 움직이는지 검사대에서 연습해 둔다.
- 내시경 선단이 약간 up 앵글된 상태에서 왼손으로 조작부를 좌우로 움직이면 선단부가 그 방향으로 향한다(**그림 4**).
- 같은 방법으로 오른손으로 삽입부를 회전시키면 선단부가 같은 방향으로 향한다.
- 내시경 검사의 대부분은 UD 앵글과 왼손의 조작부, 오른손의 삽입부 움직임으로 시행이 가능하다.

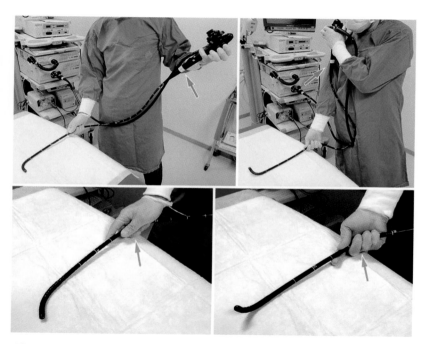

그림 4 **조작부, 삽입부와 첨단의 움직임**
조작부(위)를 좌우로 움직이면 선단부도 같은 방향으로 움직이고(→),
삽입부를 회전시키면 같은 모양으로 첨단이 움직인다(→).

- 앞에서 설명한 내시경 조작부, 삽입부를 움직일 때 오른손, 왼손은 겨드랑이에 붙이고, 손목 마디로 시행하면 내시경 조작이 안정된다.

b. 앵글에 의한 작동

- UD 앵글은 놉을 술자쪽으로 돌리면 위쪽으로(최대 210°), 뒤로 돌리면 아래쪽으로(최대 90°), RL 앵글은 놉을 술자쪽으로 돌리면 왼쪽으로(최대 100°), 뒤로 돌리면 오른쪽으로(최대 100°) 내시경 선단이 움직인다.
- UD 앵글과 RL 앵글을 동시에 사용하면 선단부의 최대 굴곡을 얻을 수 있고, 또 RL 앵글의 차이로 선단부의 방향이 다르다(그림 5).

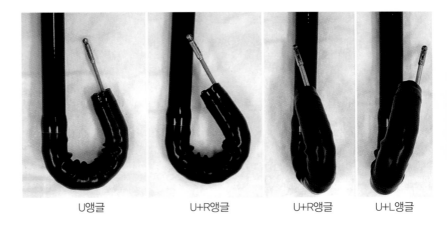

| U앵글 | U+R앵글 | U+R앵글 | U+L앵글 |

그림 5 **앵글 조작에 의한 선단부의 굴곡**
선단부의 방향을 알기 쉽도록 집게를 삽입하였다. U앵글에 R앵글을 더하면 선단부가 삽입부에 가장 근접한다. U+ L 앵글에서 선단부는 삽입부에서 멀어지는 방향을 향한다(올림푸스사 GIF-H260).

c. J턴과 U턴

- 상부 소화기내시경 검사에서 반전 조작에 J턴과 U턴이 있다. 내시경이 알파벳의 J나 U 모양이 되므로 이렇게 부른다.
- J턴은 조작부, 삽입부 일반 위치에서 up 앵글을 이용하여 주로 위 소만 쪽 관찰에 이용한다.
- U턴은 up 앵글을 이용하여 조작부를 좌우로 선회시키는 조작으로, 주로 궁륭부나 체부 전후벽 관찰에 이용한다.
- * 빈 상자(내시경용 장갑 상자)를 이용하여 J턴과 U턴의 차이를 나타낸다(**그림 6**). 내려다 보면 J턴을 해도 상자의 구멍 위치는 왼쪽으로 변하지 않지만, U턴에서는 오른쪽으로 되어 있어 반전 관찰시 위치 관계를 이해하기 쉽다.

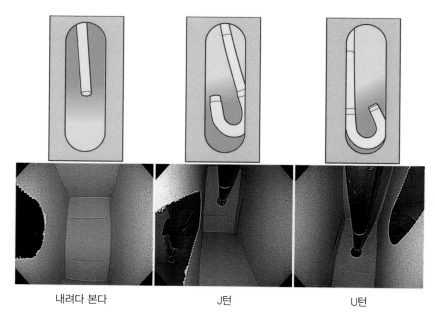

| 내려다 본다 | J턴 | U턴 |

그림 6　J턴과 U턴

- J턴 관찰에서 전후벽의 위치는 내려다 보는 것과 같지만, U턴에서는 전후벽의 관계가 거꾸로 되므로 부위 오리엔테이션에 주의한다.

3 내시경 화면의 이해

- 내시경 화면은 선단부의 CCD 카메라로 영상을 보지만, 실제로 내시경 선단부에는 그 주위에 집게 채널, 라이트 가이드, 송기·송수 노즐이 있다.
- 선단부의 구성은 내시경 기종에 따라 차이가 있지만, 상부 소화기 내시경 검사에 일반적으로 사용하는 Olympus사 GIF-H260의 선단부를 나타낸다(**그림 7**).
- 그림 7은 선단부의 위치 관계를 내시경 쪽에서 본 구성이며, 실물 선단을 직접 눈으로 보는 방향과 반대로 되어 있다. 실제 검사시에는 내시경 쪽에서의 구성을 인식한다.

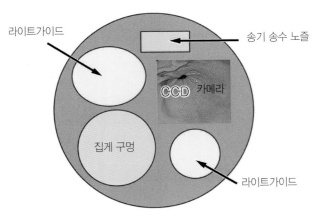

그림 7 내시경 쪽에서 본 선단부의 구성

- 집게 채널은 CCD 카메라의 왼쪽 아래에 있으며, 집게는 화면의 8시 방향에서 최소 가시 거리 3 mm에서 보인다. 물 흡인을 화면의 8시 방향에서 시행하는 것이 효율적이다. 또 최소 가시 거리가 있어 화면에서 보이지 않아도 집게 끝이 나와 있다는 것에 주의한다.
- 송기·송수 노즐은 CCD 카메라 위에 있어 송수하면 화면 위에서 렌즈가 세정된다.

- 선단부 구성의 이해는 식도 입구부, 유문부, 협착부 등의 통과시에 유용하다.
- 그림 8은 오버튜브 뚜껑의 고무 부분을 협착부에 대고 내시경을 통과시키고 있다. 뚜껑 앞부터 내시경을 진행시켜(8a), 내시경 화면은 거의 통과한 것처럼 보이지만(8b), 뚜껑의 뒤에서 보면 집게 채널 아래 부분은 아직 통과되어 있지 않다(8c). 이 경우에는 약간 U 앵글을 만들면 통과하기 쉬운 것을 이해할 수 있다.

그림 8 　오버튜브를 이용한 선단부 구성의 확인

- 내시경을 잡는 방법, 조작, 화면을 이해한 후에 상부 소화기 모델을 이용하여 훈련한다. 모델을 이용하면 위에 송기나 탈기, 오른손 삽입부와 왼손 조작부의 협조 운동, 앵글 조작, 사진 촬영 등, 실제와 거의 가까운 훈련이 가능하다.

○─ **포인트** ─○

실제 검사 시행 전에 이해될 때까지 충분히 연습한다.

윗사람에 따라
생각하는 방법이나
가르치는 법이
다른데...

연수의

여러 윗사람에게
계속 질문하여 해결한다.

04

상부 소화기내시경 검사 시행·전·시행 중 확인사항

- 모든 체액이나 배설물을 감염성이라고 생각하여 상처 있는 피부나 점막의 감염 방지에 항상 주의한다.
- 공기 감염에 대한 공조 설비, 주위 기기나 바닥 등의 환경 오염에도 주의하여 내시경실 전체의 감염 대책이 필요하다.
- 내시경 스코프의 취급에서 송기·송수 채널, 집게·흡인구의 구조를 이해한다.
- 부속 기기나 처치 기구에도 수준에 따라 소독, 멸균한다.
- 의료인은 시술 의복으로 갈아 입고, 장갑, 마스크, 가운을 착용해야 하며, 눈을 보호하는 쉴드나 고글 착용이 바람직하다.

> **포인트**
> ▷ 시술 의복으로 갈아 입지 않고 평소의 흰가운인 채로 검사는 부적절하고 비위생적이다.
> ▷ 내시경 검사를 통한 *Helicobacter pylori*, B형 간염 바이러스, C형 간염 바이러스, 사람 면역부전 바이러스(HIV) 등의 감염 보고가 있다.

- 상부 소화기 질환이 의심되면 모두 내시경 검사 적응이 되지만 보기 드문 금기에 주의한다(119쪽, IX장, 표 2참조).
- 소화기 출혈에 의한 출혈성 쇼크에는 쇼크에 대한 치료를 우선하고, 전신 상태가 안정된 후 검사, 처치를 시도한다.

3 환자 동의(Informed Consent)

- 병력, 알레르기를 확인하고 내시경 검사의 필요성, 투여 약제, 일어날 수 있는 우발 상황에 대해 설명한다.
- 설명 시 전문 용어는 되도록 피하고 쉬운 말로 설명하며, 문장에 의한 설명과 서명한 동의서를 받는다.
- 본인의 자기 판단이 어려우면 가족이나 후견인에게 설명한다.
- 설명 내용과 동의 사항을 진료 기록에 기재하고 동의서 첨부를 잊지 않는다.

4 복용약제 확인

- 검사 의뢰시, 또 시술 전 문진에서 각각 복용 약을 확인한다.
- 고령자에서 정확한 정보를 얻을 수 없으면 진료 의뢰서의 내용이나 지참한 처방전을 참고한다.
- 검사 당일 금식으로 탈수의 우려가 크면 물이나 스포츠 드링크를 검사 직전까지 섭취해도 문제가 없다.

Memo

▷ 복용 중인 약을 중단하여 문제가 있을 수 있으면(혈압 강하제, 스테로이드 등) 복용을 계속해도 좋다.

▷ 혈당 강하제나 인슐린은 저혈당 가능성이 있으므로 검사 당일은 중지한다.

▷ 위점막 보호제, 한약 등은 내시경 관찰에 방해가 될 가능성이 있으므로 당일은 중지한다.

▷ 이뇨제는 원칙적으로 중지하는 것이 좋지만, 심부전이 있으면 주의한다.

▷ 신경안정제나 수면유도제를 복용하고 있으면 진정 효과가 떨어질 수 있다.

a. 항혈전제의 대책

☞ 자세한 내용은 162쪽 부록 4-1 참조.

- 항혈전제 복용 중 일반 검사는 영향 없이 시행 가능하지만 ① 약의 종류(항응고제, 항혈소판제 등), ② 투여량은 사전에 확인한다.
- 휴약이나 변경이 필요하면 주치의와 상의한다.
- 항혈전제는 단일제 복용과 다제 복용의 경우에 휴약에 대한 대처가 다르다.

b. 항혈전제 단일제 복용의 경우

- 일반 검사(관찰, 생검)나 출혈 저위험도(스텐트 유치, 확장술 등)면 항혈소판제나 항응고제 중지할 필요가 없다. 와파린을 투여 중이면 1주 전 채혈 검사의 PT-INR이 치료 범위에 있는지 확인한다.
- 출혈 고위험도(용종 제거술, ESD, EST 등)일 때는 클로피도그렐을 아스피린이나 실로스타졸로 바꾼다. 아스피린 단독 복용이면 허용한다. 항응고제를 복용하고 있으면 헤파린으로 바꾼다.

c. 항혈전제 다제 복용의 경우

- 일반 검사(관찰, 생검)나 출혈 저위험도(스텐트 유치, 확장술 등)에는 증례에 따라 신중하게 대응한다.
- 출혈 고위험도(용종 제거술, ESD, EST 등)에서는 가능하면 내시경 검사, 치료를 연기한다.
- 연기가 어려우면 아스피린 복용을 계속하고, 클로피도그렐은 아스피린이나 실로스타졸로 바꾸어 대처한다. 항응고제를 복용하고 있으면 헤파린으로 바꾼다.

d. 기타 주의점

- 약제 중지에 의한 혈전 색전증 고위험군에 해당하지 않을 때의 생검은 종래대로 아스피린 3-5일, 클로피도그렐(thienopyridine 유도체)은 5-7일 휴약이 바람직하다.
- 실로스타졸은 울혈성 심부전에는 금기이며, 두통, 빈맥에 주의한다.
- 와파린은 작용 발현과 소실에 수일이 필요하며, 처치 3-5일 전에 중지한다.
- 헤파린 정주는 투여 중지 3시간 후에, 피하주사는 6시간 후에 처치가 가능하고, 내시경적으로 지혈을 확인 후 다시 주사한다.
- PT-INR의 치료 범위는 보통 1.6-2.6이 기준이며, 3.0 이상이면 출혈 조절이 어렵다.

> 포인트

▷ 새로운 항응고제 다비가트란, 리바록사판, 아픽사판은 와파린의
PT–INR과 같은 지표가 없다.

▷ 70세 이상 고령자나 신기능 장애, 소화기 출혈 병력, 마크로리드계
항생제 병용시에는 항응고 작용이 증가하므로 출혈 위험에 주의한
다.

---

5 전처치, 전 투약

- 내시경 전처치의 원칙은 ① 피검자의 복장 점검 ② 점액 제거 처치 ③
국소 마취 ④ 연동 운동 억제제 투여 ⑤ 진정제 투여(166쪽 부록 4-2
참조)의 순서로 시행 한다.

a. 피검자의 복장 점검
- 피검자의 의복은 조이지 않는 유연한 상태가 바람직하다. 원칙적으로
안경, 벨트, 넥타이는 하지 않는다.
- 의치는 고정되어 있거나 치아가 불안정하면 장착해도 좋다.

b. 점액 제거 처치
- 프로나제 2만 단위 + 중조 1 g + 가스콘 용액 5 mL를 물에 녹여 약 80
mL을 만들어 마신다.
- 맛이 좋지 않기 때문에, 환자에게 투여 전에 알려준다.

c. 국소 마취

- 리도카인 비스커스 5 mL을 입에 물고 있다가 뱉어낸다. 또는 리도카인 스프레이를 구강에 수회 분무한다.
- 리도카인 스프레이는 자극성이 강하므로 투여 전에 환자에게 알려 준다.

d. 연동 운동 억제제

- 항콜린제(부스코판 1A 또는 글루카곤 1A)를 근육주사 또는 정맥주사로 투여한다.
- 투여 전에 (폐색 우각) 녹내장, 전립선 비대증, 심질환, 갈색세포종, 당뇨병 등의 질환이 나빠질 위험이 있어 문진이 필요하다.
- 최근에는 부작용이 없고 부작용이 적은 멘톨제(Minclea 1A: 20 mL)를 검사 중에 위에 직접 살포하는 방법이 보급되고 있다.

e. 주로 사용하는 약

- 프로나제: 단백 분해 효소이며 점액 제거 목적으로 사용한다.
- 탄산수소나트륨(중조): 약알카리이며 식품 등에도 사용하고, 제산 작용 및 프로나제 안정화를 위해 투여한다.
- 디메틸폴리실록산(가스콘): 소량으로 강력한 기포 제거 작용이 있으며, 점액 제거 작용도 있다.
- 리도카인 비스커스에는 2% 리도카인이, 스프레이에는 8% 리도카인(무색)이 포함되어 있다. 4% 리도카인액(황색)을 분무에 사용하기도 하며, 농도는 색깔로 판단한다.

- 부틸스코폴라민 취화물(부스코판): 항콜린제로, 연동 운동 억제에 타액 분비 억제 작용도 있다.

- 글루카곤: 소화기 평활근 세포에 직접 작용하여 연동 운동을 억제한다.

- 멘톨제(민크리어): 0.8% 용액 1병은 20 mL의 무색 액체로 위 전정부에 직접 살포하여 사용한다. 1-2분 후에 연동 운동 억제 작용이 나타난다. 멘톨 알레르기를 제외하면 금기는 없다.

- 고령자는 동반 질환 신고가 부정확하고 예상하지 못한 질환 동반이 자주 있다.

〈멘톨제에 대해〉
• 주사 필요가 없어 시간이 단축되며, 시행자가 선택하기 쉽다.
• 검사 도중에 투여하므로 연동 운동이 없으면 사용하지 않을 수도 있다.
• 항콜린제와 달리 타액 분비 억제 작용이 없어 폐 흡인에 주의한다.
• 살포 후에 점막 변화(장상피화생의 함요)가 강조된다.

6 진정(sedation)

☞ 자세한 내용은 166쪽, 부록 4-2 참조.
• 진정은 환자의 동의하에 환자의 의사를 존중하여 시행한다.
• 최근 진정 실시를 희망하는 환자가 늘고 있다.
• 일반 내시경 검사는 의식하 진정(moderate sedation, conscious seda-tion. 질문이나 자극에 대한 의도적으로 반응할 수 있는 상태) 즉 지시를 따를 수 있는 '깜박깜박'하는 상태가 적당하다.
• 우발 상태로 호흡 억제, 순환 억제, 서맥, 부정맥 등 호흡·순환기 증상이 나타날 수 있으며, 그 밖에 전향성 건망, 탈억제, 딸국질이 있다.
• 일반 내시경 검사에서 펜조디아제핀계 약을 선택한다. 미다졸람, 디아제팜, 풀루니트라제팜 등을 정맥 주사용 벤조디아제핀계 약으로 선택 가능하다.
• 치료 내시경은 장시간이 소요되고, 침습이 크기 때문에 프로포폴이나 덱스메데토미딘(dexmedetomidine, precedex®) 사용보고가 늘어나고 있다.

- 프로포폴: 초단시간형으로 회복 시간이 짧다. 마취 기술에 숙련된 의사의 투여 담당이 바람직하다.
- 덱스메데토미딘: 국소 마취하의 비삽관 수술이나 처치(치료 내시경도 이에 해당한다)에 사용하며, 환자 관리에 숙달된 의사가 투여해야 한다. 순환계 부작용(서맥, 혈압 저하) 발현에 주의한다.

? 검사 중 모니터링

- 진정 시행에서는 산소 포화도, 혈압, 맥박수 모니터링 및 수액 경로 확보가 필수적이다.
- 진정을 실시하지 않아도 모니터링 시행은 바람직하다.
- 검사 중에 내시경 영상뿐 아니라 검사 전체의 흐름과 모니터링의 이상에 항상 주의를 기울여야 한다.
- 호흡기계: 호흡 상태의 시진, 청진에 추가하여 펄스옥시메터로 산소 포화도 측정이 필수적이다. 과도한 진정에서는 capnogarphy에 의한 이산화탄소 농도 측정도 권고된다.
- 순환기계: 부정맥 모니터링(심전도 및 맥박 수)과 혈압을 측정한다.

- 환자를 비롯한 접수 담당자, 간호사, 내시경 기사 등 내시경 스탭에게 인사와 감사를 항상 잊지 않는다.
- 견학시 서 있는 위치는 내시경 화면뿐 아니라 시행자의 좌우의 손의 움직임이나 스탭의 움직임을 볼 수 있는 위치가 좋다.
- 진정 유무와 관계없이 환자 앞에서 쓸데 없는 말에 주의한다.

지각 연락이나 인사하지 않는
연수의는 안된다···
사회인의 상식이다!

평정심

모든 의사에게 성경이라고 하는 윌리엄 오슬러의 강연집 <평정심>에 "내과의나 외과의를 불문하고 의사에게 무엇보다 필요한 자질은 침착한 자세이다. (중략) 침착한 자세는 어떤 상황에서나 냉정하게 마음의 침착성을 잃지 않는 것을 의미한다. 폭풍우 속에서도 평정하며, 중대한 위기에 직면했을 때도 명확히 판단하며, 어떤 일에도 동요하지 않고, 감정에 좌우되지 않는 것… 불행히도 이런 자질이 부족한 의사, 즉 우유부단하여 언제나 전전긍긍하고, 또 그것을 표면에 나타내는 의사, 일상적으로 발생하는 응급 사태에 낭패하여 혼란에 빠지는 의사, 이런 의사는 곧 환자의 신뢰를 잃는다"가 있다.

내시경에서도 '평정심'은 매우 중요하다. 예를 들어 진정하지 않고 내시경 검사 중에 암을 의심하는 병변을 보았으나 그 부위에서 생검 채취를 할 수 없어 무심코 "이런 젠장!"이라며 자신의 감정을 들어내면 환자는 금새 불안하게 된다. 또 내시경 치료에서 우발 상황이 발생하거나 예상대로 되지 않을 때도 당황하지 않고 판단, 대처하는 것이 중요하다. 그럴 때 감정이 격해져서 어떻게든 자신이 대처하겠다고 고집을 부리거나, 반대로 머리 속이 하얗게 되어 아무 것도 할 수 없는 일이 있지만, 역시 냉정하게 주위의 선임에게 상의하는 '평정심'이 중요하다.

05

상부 소화기내시경의
기본 술기

- 상부 소화기내시경 훈련에서 어려운 관문 중 하나는 식도에 내시경을 삽입하는 것이다. 피검자에게 이 고통의 유무에 따라 검사 전체의 인상이 결정된다. 최근에는 진정제, 진통제를 사용하여 피검자의 고통 완화가 가능하게 되었지만, 안전을 위해 되도록 소량 사용하므로 원활하게 식도 삽입을 하도록 훈련이 필요하다.

포인트

- 경구내시경의 식도 삽입에서 특히 반사가 일어나기 쉬운 부위는 ① 구개를 넘을 때, ② 식도 입구부를 넘을 때의 두 곳이다.

- 경비 삽입에서는 ①이 없고, ② 내시경이 가늘어 반사가 적다.
- ①은 경구 삽입에서 가장 주의해야 할 점이며, 설근부에 접촉하여 구개를 넘기 위해서는 인두 반사의 억제가 중요하다.

a. 일반적 식도 삽입 양상(왼쪽 구개-왼쪽 조롱박오목)
- 구개 왼쪽을 통과하여(그림 1-1) 그대로 왼쪽 인두 후벽을 따라(그림 1-2) 왼쪽 조롱박오목(pyriform sinus)으로 진입한다(그림 1-3). 오른쪽으로 토크를 걸어(그림 1-4) 식도로 들어간다. 이런 양상이 가장 많다.

b. 진정제 사용시 삽입 양상(오른쪽 구개-왼쪽 조롱박오목)
- 진정제를 사용하고 왼쪽으로 누운 위치에서는 혀가 중력에 의해 왼쪽으로 치우쳐 왼쪽 구개가 좁아지고(그림 2-2), 오른쪽이 넓다(그림 2-3). 이 경우에는 구개 오른쪽을 넘어 인두에 들어가면 설근부에 스

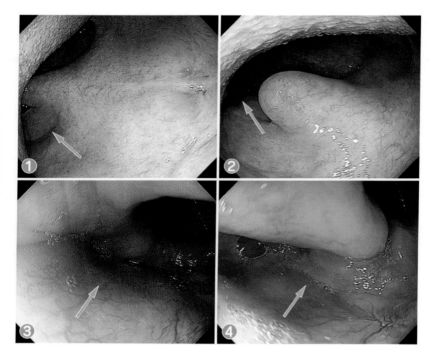

그림 1   일반적 십도 삽입 패턴(왼쪽 구개에서 왼쪽 조롱박오목)

코프가 접촉되지 않는다(**그림 2-4**). 그 후 인두 후벽에 접촉하지 않도
록 주의하여(**그림 2-5,6**) 왼쪽 조롱박오목로 진행하여 식도로 들어간
다(**그림 2-9,10**).

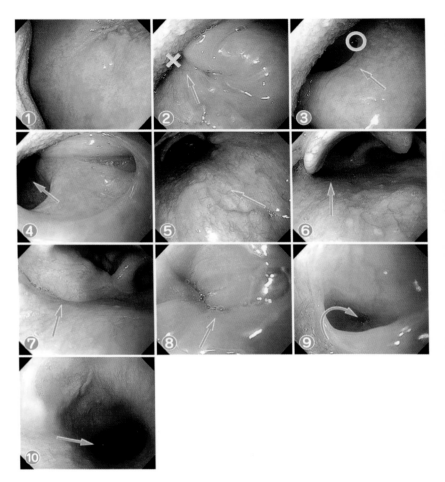

그림 2　진정제 사용시 흔한 삽입 패턴(오른쪽 구개~왼쪽 조롱박오목)

c. 오른쪽 삽입 패턴(오른쪽 구개-오른쪽 조롱박오목)

- 몇 %의 빈도이지만, 때로 구개 오른쪽을 넘어 인두에 들어갈 때 왼쪽 조롱박오목이 좁고(**그림 3-①**), 오른쪽 인두 후벽에서 오른쪽 조롱박오 목이 열리는 경우가 있다(**그림 3-②**). 이때는 무리하게 좁은 왼쪽 조롱

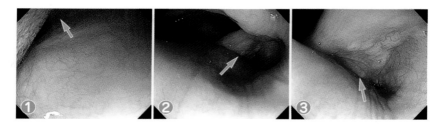

그림 3 　오른쪽에서 삽입 패턴(오른쪽 구개에서 오른쪽 조롱박오목)

박오목 방향으로 들어가지 말고, 그대로 오른쪽 조롱박오목으로 진행하여 약간 좌상으로 토크를 걸어 식도에 삽입하면 원활하다(**그림 3-③**).

- 이런 패턴의 피검자에서 왼쪽 구개-왼쪽 조롱박오목으로 삽입하면, 반사가 심해서 왼쪽 조롱박오목에서 오른쪽으로 토크를 걸어도 오른쪽 조롱박오목으로 스코프가 이동되어 결국 오른쪽 조롱박오목으로 삽입된다.
- 이런 패턴에서는 내시경 제거시에도 식도 입구부의 오른쪽에서 빼는 일이 많다.

포인트

- 경험적으로 이런 패턴은 비교적 마른 체형이고 턱의 발육이 좋지 않으며, 임상 증상으로 인두 불편감을 호소하고, 과거의 내시경 검사가 매우 괴로웠다는 환자가 많았다.

- 이 패턴에서 삽입이 잘 되면 놀라울 정도로 반사가 적을 수 있다.
- 내시경 삽입시 바로 누운 상태에서 목만 왼쪽을 향한 경우에도 왼쪽 조롱박오목이 좁아져 이런 패턴이 되기 쉽기 때문에 체위가 제대로 되었는지의 점검도 중요하다.

a 경비 내시경의 비강 마취법

- 스틱법과 스프레이법, 양자 병용법의 3가지가 있다(**표 1**). 스프레이법은 쉬운 반면 마취 효과가 다소 약하고, 스틱법은 마취 효과가 높은 반면 약간 복잡하다. 또 스틱법은 원칙적으로 한 쪽 비강만 마취하므로 삽입 경로를 바꾸면 마취를 다시해야 한다.

표 1 경비내시경의 비강 마취법

스틱법	마취 스프레이법	병용법
① naphazoline (Privine®) 분무 ↓	① naphazolin 분무 ↓	① naphazolin 분무 ↓
② 리도카인 4 mL 비강 주입 ↓	② 4% 리도카인 2회 분무 ↓	② 4% 리도카인 2회 분무 ↓
③ 2분 후 14 Fr 넬라톤카테터 비강 내 삽입 ↓	③ 5분 후 다시 4% 리도카인 2회 분무 ↓	③ 리도카인 2 mL 비강 내 주입 ↓
④ 2분 후 18 Fr 넬라톤카테터 비강 내 삽입 ↓	④ 2분 후 검사 시작	④ 2분 후 18 Fr 넬라톤카테터 비강 내 삽입 ↓
⑤ 2분 후 검사 시작		⑤ 2분 후 검사 시작
리도카인 총량 80 mg	리도카인 총량 40 mg	리도카인 총량 60 mg
소요 시간 8분	소요 시간 8분	소요 시간 6분

(와타나베 켄이치 외 ; 消内視鏡 20:456; 2008 인용)

b. 비강 내 삽입 경로

• 중비갑개 경로와 하비갑개 경로가 있다(**그림 4**). 비강 내 내시경 영상은 상하, 좌우가 반전되어 보이므로 화면상에서 하비갑개 경로가 위쪽에 위치한다.

• 비강에 스코프 선단이 도달하면 그 후에는 구강내시경에서처럼 식도 입구부까지 삽입한다. 경비 경로에서는 스코프가 설근부를 접촉하지 않기 때문에 구토 반사가 적어 환자의 고통이 적다. 경비내시경에서는 경구 삽입으로 관찰할 수 없는 상인두 영역을 포함하여 인후두 영역을 정확하게 관찰할 수 있다.

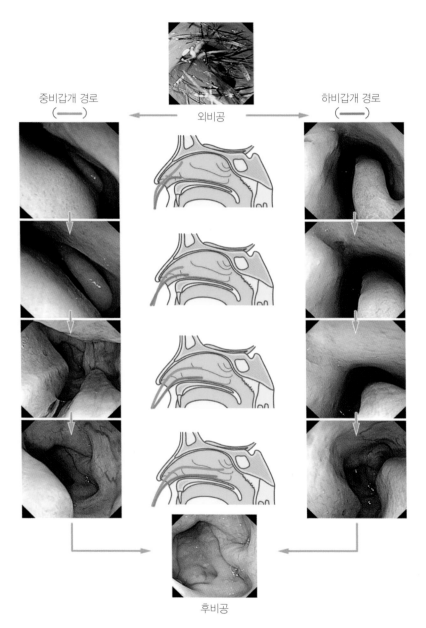

중비갑개 경로
(———)

외비공

하비갑개 경로
(———)

후비공

그림 4 비강 내 삽입 경로

상부 소화기내시경

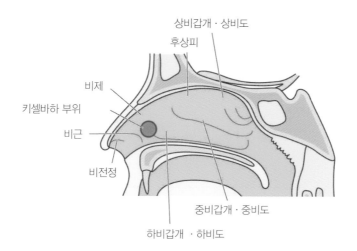

그림 5 비강의 해부

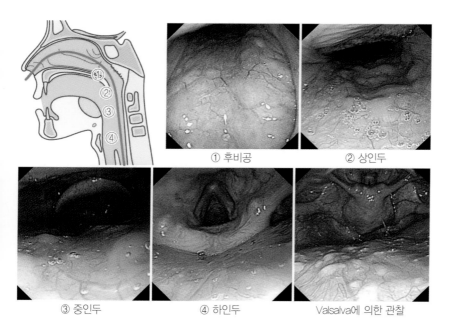

① 후비공 ② 상인두

③ 중인두 ④ 하인두 Valsalva에 의한 관찰

그림 6 경비내시경 삽입도

- 환자에게 "아ー"와 "에ー"라고 소리내게 하거나 숨을 참게하는 Val-salva법은 인후두 부위의 자세한 관찰에 유용하다(그림 6).

Memo

상부 소화기내시경

- 일반적으로 시행하는 상부 소화기내시경 선별 검사를 설명한다.

a. 인두와 후두

- 인두와 후두부터 관찰을 시작한다(**그림 7**). 그러나 반사가 심하면 내시경 삽입시 관찰은 가능한 범위로 하고 뺄낼 때 관찰한다.
- 알코올 중독, 식도암 치료 후, 인후두암, 고위험 등에서는 자세하게 관

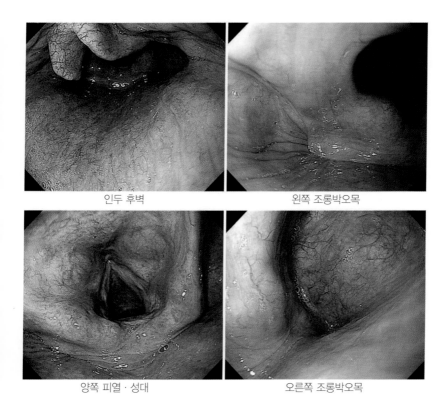

<table>
<tr><td>인두 후벽</td><td>왼쪽 조롱박오목</td></tr>
<tr><td>양쪽 피열 · 성대</td><td>오른쪽 조롱박오목</td></tr>
</table>

그림 7 인두 후두부의 주요 관찰 부위

찰하며, 일반적 선별 검사에서도 인두 후벽, 양쪽 피열부와 조롱박오목은 병변이 많은 부위이므로 주의하여 관찰한다.

- 인두, 후두 영역은 narrow band imaging (NBI)에 의한 관찰이 유용하다.

b. 식도

- 식도 삽입시 반사가 일어나는 일이 많기 때문에 일단 중부 식도(앞니에서 30 cm 정도)까지 내시경을 진행시키고 인두 반사가 안정된 후 식도 관찰을 시작한다.
- 식도 내 타액이나 점액을 제거하기 위해 관찰 전에 세정하고, 일단 상부 식도로 돌아와 관찰을 시작한다.
- 식도의 왼쪽 벽은 접선 방향이 되므로 내시경을 회전하면서 관찰한다.

> **포인트**
> - 식도위 접합부 관찰은 복식 호흡으로 심호흡하면 횡격막이 내려가 관찰이 쉬워진다(그림 8).
> - 진정제를 사용하여 복식 호흡 지시가 어려우면 일단 내시경을 분문을 넘어 위에 삽입하고 다시 식도로 돌아오는 조작으로 관찰하면 쉽다.

c. 위·십이지장

- 위에 삽입 후 우선 점액을 세정한다. 중력 방향(전정부는 대만에서 소만, 체부는 소만에서 대만)을 고려하여 세정하면 효과가 좋다.
- 일반적인 위 관찰의 기본 순서는 '당겨 빼는법'으로 시행한다.

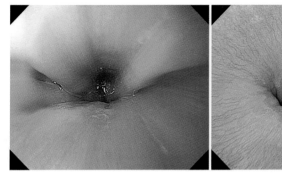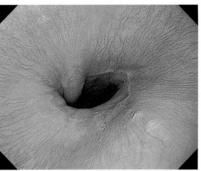

| 흡기 전 | 깊은 흡기 후 |

그림 8   복식 호흡에 의한 식도 위 접합부의 관찰

- 위의 관찰 시작부터 십이지장까지의 순서는 그림 9와 같다.
- 체하부 대만에서부터 시작하여 전정부(대만, 전벽, 후벽, 소만), 유문을 관찰하고 십이지장으로 진행한다.
- 십이지장 구부 삽입은 오른손으로 삽입부를 밀면서(push) UD 앵글을 가볍게 상하로 움직이면 유문에 가까워지며, 마지막에는 down 앵글로 유문을 넘는다.
- 상십이지장각(SDA) 통과는 초보자에게 약간 어려운 부위이지만, 기본 조작은 up 앵글을 이용하여 조작부를 잡은 왼손을 오른쪽으로 향하게 만들어 굴곡을 넘고, 왼손을 원래대로 되돌려 하행부에 들어간다. 이때 오른손으로 삽입부를 조금 당겨 내시경을 스트레칭하면 굴곡이 줄어 위 내시경이 휘어지며 하행부로 들어가기 쉬워진다.
- 십이지장 하행부에서는 내시경을 완전히 펴서 수평부까지 관찰한다.

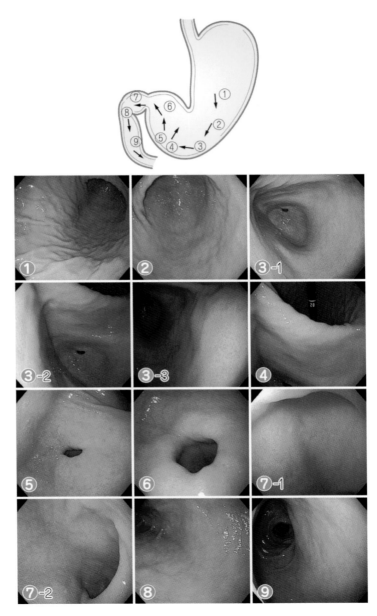

그림 9 위 삽입부터 십이지장 관찰까지

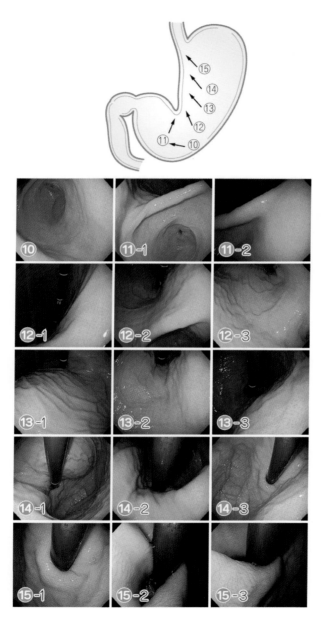

그림 10 위각부에서 체부의 J턴 관찰

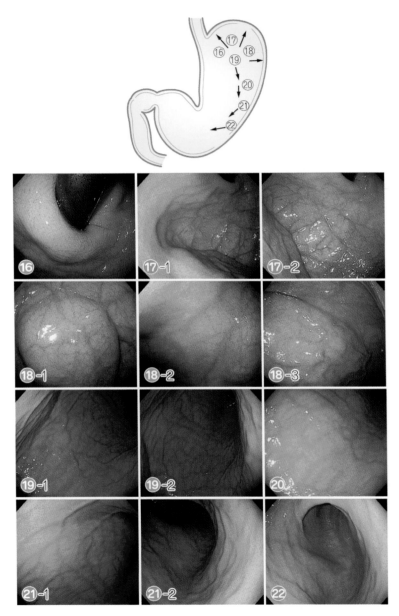

그림 11　궁륭부 U턴에서 체부 대만을 내려다보는 관찰

▷ 십이지장 관찰시 위의 체하부 대만, 위각부 소만을 스코프로 문지를
수 있어 십이지장 삽입 전에 사진을 찍어두는 것이 중요하다.

- 위 내로 돌아와 J턴으로 위각부, 체부, 분문부를 관찰하는 순서는 그림 10과 같다. 위각에서 체부 소만은 J턴으로, 전후벽을 선회하며 분문부까지 관찰한다.
- J턴으로 체부를 관찰할 때 송기 양은 체부 소만이 늘어나는 것을 기준으로 한다. 과잉 송기는 피검자에게 고통이나 체상부 소만에 상처를 줄 수 있어 주의한다.
- U턴 관찰 후에 U턴을 풀고 관찰하는 순서는 그림 11과 같다.
- U턴 관찰 후 궁륭부에서 반전을 풀고 스코프를 당겨 빼서 궁륭부 대만 관찰부터 후벽을 돌리면서 본다.
- 체상부 대만, 전후벽을 관찰하며 체하부까지 진행하여 반전 관찰시 사각이 되기 쉬운 체하부부터 위각부의 전후벽도 주의하여 관찰한다.

포인트

- 송기하여 체부 대만의 주름을 충분히 펴기 위해서는 최대한으로 송기한다.
- 트름이 나와 대만의 주름이 충분히 펴지지 않을 때에는, 주름이 펴지기 쉽도록 바로 눕게한다.

- 병변이 없으면 공기를 빼면서 내시경을 위에서 제거하며, 식도를 빼면서 관찰한다. 식도 입구부는 뺄 때 관찰하기 쉽다. 또 삽입시에 관찰할 수 없었던 인두, 후두를 보고 검사를 끝낸다.

- 청색 색소인 인디고카민을 위 내에 살포하여 점막 표면의 요철을 강조시켜 병변 범위 진단이나 심부 도달도를 진단한다.
- 인디고카민은 점막에서 흡수되지 않고 여러 가지 반응을 일으키며 색소 내시경법(콘트라스트법)이라고 한다.

포인트

- 백색광으로 관찰하여 병변이 의심될 때 정밀검사(범위, 심부 도달도 진단)를 위해 색소를 살포한다(그림 12).
- 병변을 명확히 할 목적으로 위축 위 점막에 광범위하게 살포할 수 있으며, 이때 0.05% 등 보다 낮은 농도를 사용하면 가벼운 색조 변화나 요철을 구별하기 쉬워진다.

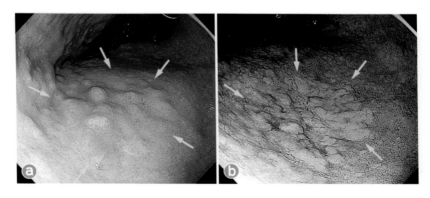

그림 12 **체하부 전벽, 30 mm, 0-Ⅱa, tub 1**
a: 백색광에서 경계 불명확
b: 인디고카민 살포에 의해 명확해진 경계

a. 살포액 제작

- 0.4% 인디고카민 주사액(1 A 5 mL)을 정제수로 2-4배(0.1-0.2%) 희석하여 사용한다.

b. 살포전 처치

- 내시경 검사의 전처치로 프로나제 등 점액 제거제를 반드시 복용한다. 점막에 점액이나 담즙이 부착되어 있으면 출혈되지 않을 정도로 점막을 충분히 세정한다.

○── 주의! ──○

▷인디고카민 살포로 오히려 점막 표면의 색소 변화가 마스크되는 경우도 있어 주의한다(그림 13).

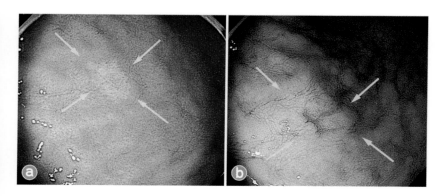

그림 13 **체하부 대만 8 mm 0-Ⅱb, sig**
　　　　a: 명확한 퇴색 부위가 있다.
　　　　b: 인디고카민 살포로 경계가 불명확해졌다.

C. 살포 방법

+ 주사기 사용
- 집게 채널을 통해 주사기로 직접 살포하는 간단한 방법이다.
- 위 내의 중력을 고려하면 광범위한 살포가 가능하다.
- 살포시 주사기가 집게 뚜껑에서 벗어나면 인디고카민이 피검자의 옷에 묻을 수 있어 주의한다.

+ 살포 튜브 사용
- 위 내에 광범위하게 살포하려면 살포 튜브를 사용한다.
- 비교적 소량으로 위 내 전체에 살포할 수 있는 이점이 있지만, 살포 튜브 준비 등을 포함하여 보조자의 도움이 필요한 단점이 있다.

연수의

견학 초기에는 무엇이 중요한지
몰라 혼란스럽다.

선임에게 적극적으로
상의한다.

- 정상 식도 점막의 중층 편평상피는 글리코겐 과립이 많아 루골 용액을 살포하면 요오드 전분 반응에 의해 적갈색으로 착색된다.
- 암이나 이형 상피는 글리코겐 과립이 적어 루골 살포에 의한 변색이 일어나지 않고, 황백색의 염색되지 않은 상태로 남아 있어 조기 진단에 이용한다.

포인트

- 5 mm 이상의 염색 안된 부위에 주의한다.
- 루골 용액으로 염색 안된 부위를 1–2분간 관찰하고 있을 때 핑크색으로 변하는 부분이 보이는데, 이것을 핑크 컬러 징후(그림 14)라고 부르며, 식도암을 의심하는 소견이다.
- 5 mm 이하의 작은 비염색 부위에서도 핑크 컬러 징후가 양성이면 생검을 시행한다(그림 15).

---

a. 살포액 제작

- 요오드 5 g과 요오드화칼륨 10 g를 정제 수 100 mL에 용해하여 만든다. 이 용액을 희석하여 1-3%의 루골 용액으로 이용한다.

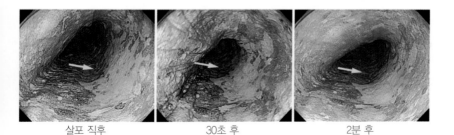

| 살포 직후 | 30초 후 | 2분 후 |

그림 14　루골액 살포후 경과(중부 식도 0–Ⅱb, scc)

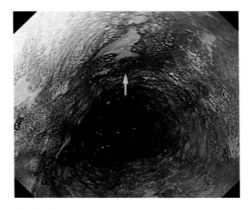

그림 15 핑크컬러 징후 양성인 미세식도암

b. 살포 방법

- 루골 염색은 되도록 적은 양으로 식도 전체에 살포하기 위해 살포 튜브를 이용한다.
- 집게 채널에 살포 튜브를 약간 내밀어 식도 위 접합부부터 살포를 시작하여, 식도 입구부(앞니에서 20 cm 기준)까지 살포한다.
- 조금씩 살포하면서, 흡인하여 식도에서 공기를 빼내어, 보다 적은 양으로 염색한다.
- 식도 입구부 부근의 살포시에는 루골액 역류에 의한 폐 흡인에 주의한다.
- 왼쪽으로 누운 자세에서 식도의 왼쪽벽 7-8시 쪽이 중력 방향이므로 오른쪽벽 1-2시 쪽을 향해 살포하면 식도 전 주위에 퍼진다.
- 식도 입구부에서 식도 접합부를 향해 살포하면 사용하는 루골 용액을 줄일 수 있으나 스코프 조작이 어려워 익숙해져야 한다.
- 살포 후에 식도 내 여분의 루골액을 흡인하고 세정한다.
- 루골 염색 검사 종료시에는 위 내에 저류된 루골액을 흡인하고, 2.5%

치오황산나트륨 수화물(Petoxol®)을 살포하여 루골 용액에 의한 검사 후 불쾌감을 감소시킨다.

c. 언제 살포하면 좋을지 모를 때

- 백색광이나 NBI에 병변을 의심할 때 시행한다.
- 음주, 흡연 습관, 식도암이나 두경부 암의 병력 등 고위험 증례는 적극적으로 시행한다.
- 요오드 과민증 환자는 시행하지 않는다.
- 루골 살포에 의한 식도염으로 병변의 범위 진단이 어려워질 수 있어 반복 살포는 피한다.

Memo

- 영상 강조 관찰에는 narrow band imaging (NBI), flexible spectral imaging color enhancement (FICE), autofluorescence imaging (AFI) 등이 있으며(5쪽, 1장 3 참조), 여기서는 NBI의 식도 관찰을 설명한다.

a. NBI 비확대 관찰

- 식도암의 90% 이상은 편평상피암이며 NBI 비확대 관찰에서 경계가 있는 다갈색 영역병변(brownish area)로 보이는 것이 많다(그림 16).
- 식도암의 선별에 병변 구별이 중요하다.
- 식도암이 의심되는 병변은 NBI 비확대 관찰에서 점모양의 이형혈관을 많이 볼 수 있다.

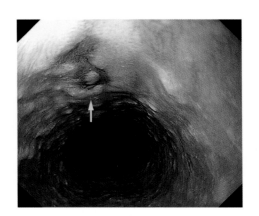

그림 16 brownish area

- 식도의 왼쪽 벽은 접선 방향이 되므로 스코프를 회전시키면서 관찰한다.
- 식도에 송기하여 너무 늘리면 brownish area의 색조가 희미해지므로 반대로 탈기를 하면서 관찰한다.

b. NBI 확대 관찰

- 식도 점막의 유두내 혈관 고리(intraepithelial papillary capillary loop: IPCL)를 관찰하여 병변의 질적 진단(암과 비암)과 심부 도달도를 진단한다.
- NBI확대 관찰시, 내시경 선단에 black soft hood를 화면 끝이 약간 보이는 길이로 장착하여 관찰하면 양호한 확대 시야를 얻을 수 있다
- 표 2는 일본 식도학회의 「식도 표재암의 확대내시경 분류」이다.

표 2　식도 편재암의 확대내시경 분류(일본식도학회)

분류	소견	심부 도달도
type A	혈관 형태 변화가 없거나 경도	
type B	혈관 형태 변화 고도	
B1	확장, 사행, 직경 불균일, 형태 불균일을 나타내는 고리 모양의 이상 혈관	EP, LPM
B2	고리 모양이 없는 이상 혈관	MM, SM1
B3	고도로 확장된 불규칙한 혈관	SM2
avascular area (AVA)	type B 혈관 주위를 둘러싼 무혈관 또는 혈관이 드문 영역	
AVA small	0.5 mm 미만	
AVA middle	0.5 mm 이상 3.0 mm 미만	
AVA large	3.0 mm 이상	EP, LPM MM, SM1 SM2

(코야마 츠네오 외 ; 消内視鏡 24:466; 2012 인용)

- IPCL의 변화인 확장, 사행, 일정하지 않은 직경, 불균일한 모양 등이 일부만 있으면 type A로 고도 이형생을 포함한다. 모든 변화가 있으면 type B로 거의 암으로 진단할 수 있다(그림 17).
- type B에서 혈관이 고리를 형성하면 B1, 고리 형성이 없으면 B2, 고도로 확장된 굵은 혈관이 있으면 B3이며, 이 순서로 병변의 심부 도달도가 깊어진다.
- avascular area (AVA)는 그 크기로 분류하며, 클수록 심부 도달도가 깊은 경향이 있다.
- O-IIa형 같은 편평 융기성 병변은 상피의 각화에 의해 IPCL 변화가 관찰되기 어려워, 심부 도달도가 깊지 않은 것으로 볼 수 있어 주의를 요한다.

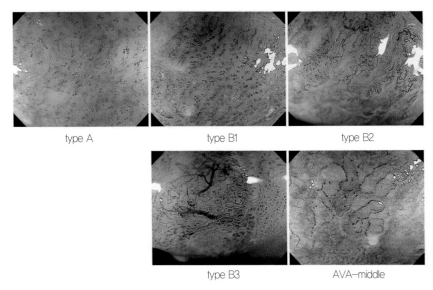

그림 17 식도암의 NBI 확대 관찰상

- 식도 병변의 확대 관찰에서 병변을 시야의 1–2시 방향에 두고 up 앵글로 근접하면 최대 배율의 확대 관찰을 얻을 수 있다. 이것은 CCD 카메라가 내시경 선단부의 1–2시 방향에 있어 down 앵글 관찰로는 병변에 근접할 수 없기 때문이다.

Memo

- 위의 영상 강조 관찰은 일반적으로 NBI를 이용하며, 종양 병변의 질적 진단과 범위 진단에 유용하다.

a. NBI 비확대 관찰

- 위 병변에 대한 종래의 NBI 비확대 관찰은 광량이 적어 영상이 어두워 유용성이 낮았으나 LUCERA ELITE 시리즈(Olympus사)는 비확대 관찰에서도 밝은 영상을 얻을 수 있어 선별 검사에서 유용성이 기대된다(그림 18).

b. NBI 확대 관찰

+ 암 존재 진단

- 위의 NBI 확대 관찰에서 암과 비암의 감별에 VS classification이 이용된다.

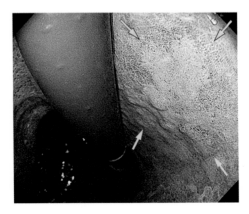

그림 18 조기 위암의 NBI 비확대 관찰상

- VS classification은 NBI확대 관찰에서 미세혈관 구축상(microvascular pattern: MVP)과 표면 미세 구조(microsurface pattern: MSP)를 각각 ① 규칙적(regular) ② 불규칙(irregular) ③ 시각화 되지 않음(absent)으로 분류하여 병변을 평가한다.
- 암의 경우 MVP 또는 MSP가 irregular 패턴이고, 병변과 비병변부에 명확한 경계선(demarcation line)이 있는 것을 진단조건으로 한다면, 97%의 암이 이 기준을 만족한다.

+ 암의 질적 진단
- 위암은 조직형에 따라 분화형 암(tub1, tub2)과 미분화형 암(por, sig)으로 구분하며, NBI 확대 관찰로 조직상을 유추할 수 있다.
- NBI 확대 관찰에서 분화형 암은 혈관 network가 유지된 mesh pattern을, 미분화 암은 혈관 network가 소실된 irregular pattern를 나타내는 것이 많다(그림 19).

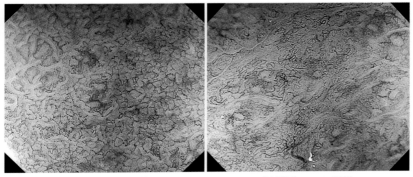

분화형(network 있음)　　　　미분화형(network 없음)

그림 19 분화형과 미분화형 암의 NBI 확대 관찰상

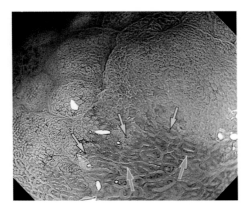

그림 20　병변 경계(→)와 light blue crest(→)

+ 위암의 경계 진단

- 위암의 범위 진단에 NBI 확대 관찰은 매우 유용하며, 대부분의 병변에서 정확한 범위 진단이 가능하다.
- 위의 장상피화생은 NBI 확대에서 light blue crest (LBC)로 관찰되며, 상피 주변이 청백색조의 광선이 비치는 소견이다. 이 LBC를 보아 비암부의 장상피화생 점막 진단이 가능해진다(**그림 20**).

> 주 의!
>
> ▷NBI 확대 관찰에도 한계가 있어, 암이 점막 표층에 노출되지 않는 중–저분화형 암이나 구조 이형이 약한 초고분화형 암은 경계가 불명확하여 생검 진단 병용이 필요하다.

a. 우발 상황의 빈도

- 일본에서 1998년부터 2002년 사이에 시행한 전국 조사에서, 상부 소화기내시경 검사에서 우발 상황 발생 빈도는 전 처치를 포함하여 0.012%(약 8,300건에 1건)이었으며, 사망률은 0.00076%(약 13만 건에 1건)였다.
- 상부 소화기내시경의 우발 상황 중 천공이 가장 많아 33.8%를 차지했다.

b. 주요 우발 상황과 대응

+ 식도 천공

- 내시경 삽입시 식도 입구부[조롱박오목(그림 2)이나 Zenker게실(그림 22)] 발생이 많다.
- 조롱박오목은 인두부 양쪽에 있는 깊은 함요이며, 고령자는 조롱박오목 점막의 위축성 변화로 약간의 외력으로도 천공될 가능성이 있다.

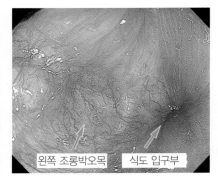

그림 21   왼쪽 조롱박오목

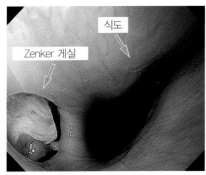

그림 22   Zenker 게실

- Zenker게실은 Killian 삼각부라는 인두 식도 후벽의 하인두 수축근 경사부와 윤상 인두근 횡주부 사이에 형성된 해부학적 취약부에 발생한 압출성 게실이다.
- 천공이 있으면 검사 종료 후에 통증, 경부 종창, 발열 등의 증상이 나타난다.
- 임상 증상으로 천공을 의심하면 경흉부 CT로 기종을 확인하거나, 희석한 가스트로그라핀으로 식도 조영을 시행한다.
- 천공이 있으면 금식, 항생제 투여를 시행한다. 작은 천공은 보존적 치료로 쾌유된다. 천공부에 생긴 농양이 종격염을 일으켜 중증화되면 24시간 이내에 드레인이나 천공부 봉합 시행을 권고한다.

포인트

- 삽입시 저항을 느끼면 맹목적으로 누르지 말고 스코프를 당겨 방향을 확인한다.
- 스코프를 당기면 입구부의 각도가 느슨해져서 삽입하기 쉬워진다.
- 입구부에서 스코프가 걸릴 때 연하 동작을 시키면 원활하게 넘어갈 수 있다.

+ Mallory–Weiss 증후군

- 구토 반사에 의해 식도 위접합부의 위점막에 발생한 열상이다.
- 내시경 삽입시 구토 반사가 심하거나 검사 중 과잉 송기로 위가 너무 늘어나서 발생한다.

주 의!

▷ 초보자는 유문 통과에 시간이 걸리면 과도하게 송기하게 되고, 이로 인해 발생하는 경우가 있으므로 항상 송기 양에 주의한다.

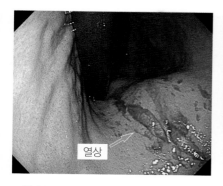
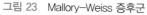
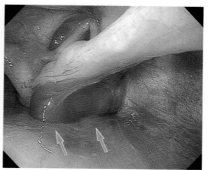

그림 23　Mallory-Weiss 증후군　　　그림 24　인두혈종

- 위의 과도한 신장은 고령자에서 점막 위축이 있을 때 긴 열상을 만들 수 있다.
- 열상 부위에서 출혈이 계속되면 클립으로 막는다.

> **포인트**
> • 검사 종료 후 열상 부위에서 재출혈이 나타날 수 있으므로 식사나 음주에 주의시키고, 점막 보호제를 처방하며 피검자에게 충분히 설명하는 것이 중요하다.

+ 인두 혈종

- 내시경 삽입시나 검사 중의 구토 반사에 의해 스코프가 인두부에 접촉하여 혈종을 만들 수 있다(**그림 24**).

> **포인트**
> • 특별한 처치는 필요하지 않지만 검사 후 인두부의 불편감, 침에 혈액이 혼합될 수 있어 피검자에게 충분히 설명한다.

좋은 수완

30세의 젊은 나이에 대장암으로 사망한 환자가 반복된 입원 경험을 토대로 환자에게 좋은 의료에 대해 젊은 의사에게 전한 내용은, "① 수완이 좋다 ② 대응이 빠르다 ③ 알기 쉽게 말한다 ④ 성실하게 일한다"였다.

내시경 분야는 기술의 차이를 환자가 비교적 알기 쉬운 영역이다. 앞 환자의 강연에서, "수완이 좋아지기 위해서는 평소의 노력이 필요하다. 경험의 기회를 누구나 균등하게 얻을 수 있는 것은 아니며, 다른 사람의 기술을 보고 머릿속에서 시뮬레이션하여 실제로 자신의 차례가 되었을 때 원활하게 시행할 수 있도록 주의한다. 잘할 수 없었으면 무엇이 나빴는지 자기 나름대로 반성하여 부족하였던 점은 다음에 보완하도록 노력해 본다. 기회가 한 번이라도 더 돌아 오는 곳에 자신의 몸을 놓아둔다"라고 조언했다. 평소 진료에서 자신의 지도 교수나 주위 사람에게 신뢰를 받고 있는 사람은 "다음 기회에는 저 녀석에게 시켜 볼까"가 되어 많은 기회를 얻을 수 있다는 것이다.

06
생검 방법

1 생검 목적

- 병변 일부를 채취하여 병리 조직학적으로 질적 진단하기 위해 생검을 시행한다.
- 안이하게 생검을 의뢰하는 것이 아니라, 생검 전에 내시경적으로 확실한 진단과 감별 진단을 통하여 어떤 병리 소견이 예측되고 결과에 따라 향후 방침은 어떻게 되는지 생검 목적을 명확히 한다.
- 한편 실제 증례는 '살아 있는 교과서'이며, 생검 진단과 임상 진단을 비교하면 의문점이나 문제점을 해결할 수 있다. 생검 진단 결과를 반드시 피드백해야 하며, 생검 진단을 보아 내시경 진단 향상에 유용하게 써야한다.

> **포인트**
> - 정확한 생검 진단을 위해서는 채취 부위가 정확해야 하고, 일정한 크기의 검체 채취가 필요하다.

2 위 생검

- 내시경으로 병변의 존재를 진단한 후 색소 내시경이나 NBI 확대 내시경을 시행하며, 먼저 종양성 병변과 비종양성 병변을 구별하고, 종양성 병변이면 상피성 종양과 비상피성 종양, 그리고 상피성이면 선종과 암을, 비상피성이면 평활근종, 지방종, GIST, 악성 림프종 등을 감별한다.
- 치료가 필요없는 비종양성 병변이나 양성 종양은 내시경 소견으로 쉽게 진단 가능하나, 생검이 어려운 gastrointestinal stromal tumor (GIST) 등을 제외하면 대부분의 병변에서 생검을 시행하여 병리 조직학적 진단 결과에 따라 치료 방침을 확정한다.

a. 융기성 병변

- 상피성 융기성 병변에는 선종과 암의 감별이 필요하다. 발적(發赤) 부위, 표면이 일정하지 않은 부위 등 암을 의심하는 부위에서 생검한다 (그림 1).

표1 위 생검 조직 진단 분류(group분류)

group X	생검 진단에 부적합한 샘플
group 1	정상 및 비선종 병변
group 2	종양성(선종 또는 암)과 비종양성 판단이 어려운 병변
group 3	선종
group 4	선종으로 판정된 병변 중에 암이 의심되는 병변
group 5	암

(일본위암학회 : 위암취급규약 제14판. 2010)

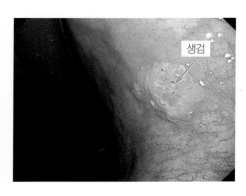

그림 1   IIa형 조기 위암 생검 부위
발적 부위(→)에서 생검

- 비상피성 융기성 병변에서는 GIST 진단이 문제이다. 종양이 궤양을 만들고 있으면 여기서 생검한다. 궤양이 없거나 생검으로 진단하기 어려운 일도 많으며, 초음파내시경이나 필요시 초음파내시경하 천자흡인술(endoscopic ultra-sound-guided fine needle aspiration: EUS-FNA)을 시행하여 진단한다.

b. 함요성 병변
- 감별 진단이 필요한 질환은 작은 IIc와 미란이나 발적, IIc+III와 양성 궤양, 미분화형 IIc와 MALT 림프종, 2형·3형 진행암과 미만성 대세포형 B세포 림프종 등이다.
- 일반광 관찰에 더해, 색소내시경이나 NBI 확대 관찰을 시행하여 암을 시사하는 곳에서 생검한다(그림 2).
- 점막 내 병변이나 침윤 병변이 표면에 명확히 노출된 부위에서 생검한다.
  ① IIc+III: 궤양의 III 부분이 아니라 IIc 부분(그림 3)
  ② 궤양 반흔을 동반한 IIc: 반흔의 재생 상피가 아니라 IIc 부분(그림 4)
  ③ 미분화형 IIc: 주변 점막을 피해 명확한 함요 부분(그림 5)

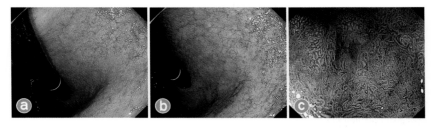

그림 2 IIc형 조기 위암
a: 백색광에서 발적 영역 발견
b: 색소내시경에 의해 형태가 일정하지 않은 깊지 않은 함요성 병변이 보인다.
c: NBI 확대내시경에 의해 형태가 일정하지 않은 irregular microvascular pattern 및 demarcation line을 확인한다.

④ 2형·3형 진행 암: 비종양 점막으로 감싸고 있는 주변 융기의 시작 부분이나 괴사 물질로 싸인 궤양부분이 아니라 표면에 노출된 종양 부분(그림 6).

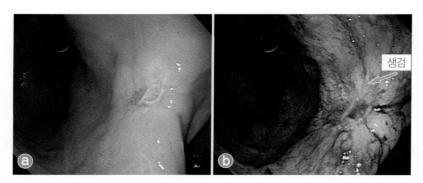

그림 3 IIc+ III형 조기 위암의 생검 부위
　　a: 백색광에서 궤양 주변의 퇴색 영역 의심
　　b: 색소 내시경으로 궤양 주위에서 IIc 인식. 궤양의 III 부분이 아니라 IIc부분(→)에서 생검

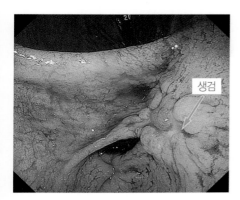

그림 4 UL+ IIc형 조기 위암의 생검 부위
　　재생 상피가 아니라 IIc부분(→)에서 생검

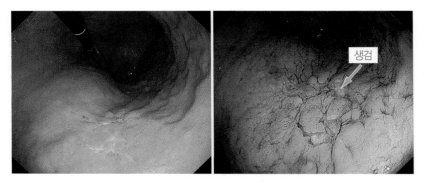

그림 5　미분화형 조기 위암의 생검 부위
남아 있는 점막을 피해 명확한 함요 부분(→)에서 생검

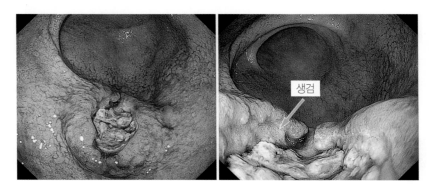

그림 6　2형 진행암의 생검 부위
표면이 노출된 종양 부위(→)에서 생검

Memo

포인트

- 일정한 크기의 검체를 정확하게 저격 생검하려면 ① 생검 집게를 너무 길게 내밀지 않고 스코프에 가깝게 하며 ② 위를 너무 부풀리지 않고 ③ 생검 집게를 수직으로 누르는 등의 요령이 필요하다.
- 예를 들어 체부 소만 병변은 반전 조작에서 접선 방향으로 목표 부위에 생검 집게를 가볍게 민 후에 스코프를 조금 당기면서 약간 down 앵글을 걸면 수직으로 누를 수 있다(그림 7).

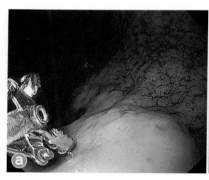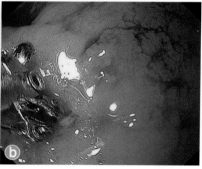

그림 7 **체부 병변의 생검 접근**

A: 반전 조작으로 약간 접선 방향에서 접근하여 집게로 가볍게 누른다. 이대로 집게를 누르면서, 접선 방향만으로는 충분한 검체를 채취할 수 없다.

b: 스코프를 조금 당기면서 가볍게 down 앵글을 걸어 병변에 수직으로 생검 집게를 눌러 채취한다.

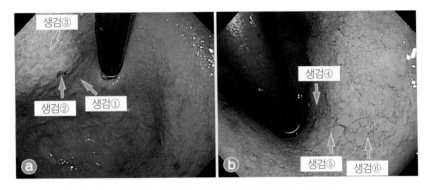

그림 8 체상부 후벽과 체상중부 소만의 조기 위암 2 병변의 생검 순서 예
a: ① 체상부 후벽 병변의 입쪽 범위 밖에서 생검 ② 병변에서 생검 ③ 항문 쪽 범위 밖에서 생검
b: ④ 체중부 소만 병변의 입쪽 범위 밖에서 생검 ⑤ 병변에서 생검 ⑥ 항문 쪽 범위 밖에서 생검

c. 생검 순서

- 병변이 여러 개이거나 하나의 병변에서도 범위 진단을 위해 여러 곳의 생검이 필요하면 생검에 의한 혈액이 다음 생검 부위에 영향을 주지 않도록 중력을 생각하여 생검 순서를 결정한다(**그림 8**).
- 왼쪽 누운 자세에서 중력 방향이 낮은 위치부터 체상부, 체중부, 체하부, 전정부가 되므로 이 순서로 생검한다. 체부에서는 대만에서 소만, 전정부에서는 소만에서 대만의 순서가 된다. 중력 방향의 판단이 어려우면 세정이나 색소 살포시 흐름으로 확인한다.

d. *Helicobacter pylori* 감염 진단

- *H. pylori* 감염 진단 중에서 신속 우레아검사, 검경법, 배양법은 생검 검체로 하는 검사법이다.
- 전정부 우위 위염, 전체 위염, 체부 우위 위염에 따라 *H. pylori* 분포가 균일하지 않기 때문에 전정부 대만과 체중부-상부 대만의 두 곳에서 생검한다(**그림 9**).

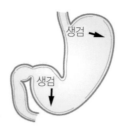

그림 9 *H. pylori* 감염 진단을 위한 생검 부위
　　　전정부 대만과 체중부–상부 대만의 2곳(→)애서 생검.

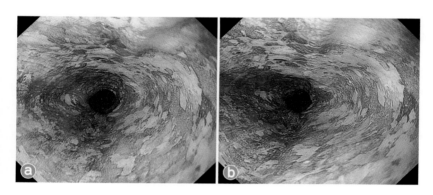

그림 10　**핑크컬러 징후을 보인 식도 표재암**
a: 요오드 염색 직후 요오드에 염색되지 않는 여러 부위(식도)를 보인다. 전벽 요오드에 염색되
　지 않는 2 cm 부위에 염색 되는 부분이 동반되어 있다.
b: 요오드 염색 2–3분 후, 전벽의 요오드에 염색 안되는 부위에 핑크컬러 징후 양성이다.

3　식도 생검

- 편평상피암 진단은 일반 내시경 관찰, NBI 관찰 후 요오드 염색을 시
  행하여 염색되지 않는 병변에서 생검한다.
- 핑크 컬러 징후 양성, 부정형, 내부에 염색섬을 가진 10 mm 이상의
  비염색부 등이 암의 가능성이 높다(**그림 10**).

- 진행 암은 비종양 점막으로 감싸고 있는 주변 융기의 시작 부분이나 괴사 물질이 싸고 있는 궤양부분이 아니라 요오드에 염색되지 않는 표면에 노출한 부위에서 채취한다.
- Barrett 식도의 dysplasia, 선암의 조기 진단을 위해 서구에서는 장축에서 2 cm 간격으로 횡축에서 4곳을 채취하는 임의 생검을 권고하고 있다. 그러나 일반적으로는 통상 내시경에 더해 색소내시경이나 NBI 확대 관찰을 시행하여 dysplasia, 선암이 의심되는 부위에서 생검한다.

4 십이지장 생검

- 위나 식도에 비해 생검이 필요한 선종, 암을 의심하는 병변이 적다.
- 생검에 의해 섬유화를 일으킬 수 있으며, 특히 내시경 절제 적응 병변에서 최저한(보통 1 검체) 채취한다.
- 부위에 따라 시야 확보나 생검이 어려운 곳이 있다. 이때는 선단에 보조기 부착, 선단의 경도가 다른 스코프로 변경, 스코프의 밀기와 스트레치 사용, 반전 관찰 등의 대책이 필요하다(그림 11).

5 생검 검체의 취급

- 채취 후 자가 융해와 건조를 막기 위해 신속하게 10-20% 포르말린액 등 고정액에 넣는다.
- 여러 개의 검체를 채취하면 병에 번호를 붙인다.
- 환자 ID, 이름 라벨 첨부 등 환자 식별 정보를 명확히 한다. 환자 식별 정보의 명확한 기록은 검사 종료 후에 즉시 시행하여 검체가 바뀌는 일을 방지한다.

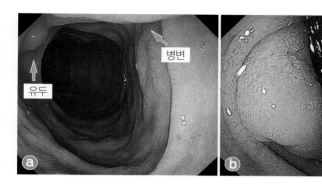

그림 11 십이지장각 근처의 십이지장 선종
a: 내려다보는 관찰에서 시야 확보가 어렵다.
b: 반전 관찰에서 전체상의 관찰과 생검이 쉽다.

6 생검 후 대응

- 생검 후 지혈을 확인하고 내시경을 제거한다.
- 자연스럽게 지혈되는 것이 많지만 좀처럼 지혈되지 않으면 내시경적 지혈술을 시행한다.
- 조기 암이나 비종양 점막의 생검에 의한 출혈은 조직 손상이 적어 간 편한 클립법을 이용한다. 진행 암에서 궤양 바닥이 단단하거나 반대로 매우 부드러워 클립으로 잡기 어려우면 APC나 지혈 집게에 의해 열응고법이나 국소 주사법을 선택한다.
- 경도의 oozing은 스코프 선단에 의한 압박이나 트롬빈 용액 살포로 대부분 지혈된다.

- 소화기 상피성 종양의 조직 진단 기준이 일본과 서구가 다르다. 일본은 세포 이형성과 구조 이형성으로 암을 진단하나, 서구에서는 점막 고유층 또는 점막 하층의 침윤 소견이 암의 근거가 된다.
- 이런 차이에 대해 Vienna 분류가 제창되었다(표 2). 구미의 high-grade dysplasia는 일본에서 비침윤성 점막암과 거의 같고, 임상적으로 내시경 절제를 포함한 치료가 필요한 것으로 합의되었다.

표 2 소화기 상피 선종의 Vienna분류

category 1	비선종(negative for neoplasia/dysplasia)
category 2	비선종과 종양 감별이 어려운 병변(indefinite for neoplasia/dysplasia)
category 3	비침윤성 저이형도 종양(non-invasive low-grade neoplasia) 저이형도 비선종/이형성(low grade adenoma/dysplasia)
category 4 4.1 4.2 4.3	비침윤성 고이형도 종양(non-invasive high-grade neoplasia) 고이형도 선종/이형성(non-invasive high-grade adenoma/dysplasia 비침윤성 점막내 암(상피내암)[non-invasive carcinoma(carcinoma in situ)] 침윤암 의심(suspicious for invasive carcinoma)
category 5 5.1 5.2	침윤암(invasive carcinoma) 침윤성 점막내암(intramucosal carcinoma) 점막하층보다 깊은 침윤암(submucosal carcinoma or beyond)

(Schlemper RJ et al : Gut 47 : 251, 2000)

07

응급내시경시 마음가짐

1 응급내시경이란?

- 환자의 상태가 불안정하여 일상 검사일까지 기다릴 수 없으면 응급 내시경을 시행한다. 검사와 진단에 계속된 내시경 치료도 예상하여 이에 대한 준비나 보조 인력도 확보할 필요가 있으며, 시술 중 환자의 전신 관리에도 대비해야 한다.
- 침습성이 높은 내시경 치료(활동성 출혈성 궤양이나 정맥류 치료, 때로 담도 배출 등)까지 고려하면 인원 확보를 포함한 보다 구체적인 준비가 필요하다.

2 응급내시경의 적응증

- 긴급성과 안정성의 균형을 생각하여 시행한다.
- 소화기 출혈이 대상으로 많지만, 이물질 삼킴(149쪽 부록 2-7 참조), 천공이나 담도 질환 의심에서도 응급 내시경을 시행한다.

3 응급내시경 체제

- 전신 관리를 하면서 내시경 치료를 시행할 것을 예상하여 인원 확보가 중요하다. 시술자, 보조자와 간호사 등 3-4명으로 구성한다. 일반 근무 시간의 시행과 야간 등 당직 업무 중 시행은 사정이 다르며, 후자에서는 온콜 제도를 운영하는 병원도 있어 윗사람에게 연락하여 적응이나 준비 물품을 상의한다.

표 1   응급 내시경의 순서

검사/치료 전	정보 수집, 설명과 동의, 기기 준비(스코프, 고주파 장치, 처치 기구(지혈 집게, 올가미)
검사/치료 중	환자 관리, 지원
검사/치료 후	시술 후 관리

표 2   치료 전 청취해야 할 과거력과 현 병력

소화기 질환	소화기 천공, 장폐색 유무, 복부 수술/방사선 치료 병력
순환기 질환	허혈성 심질환(심근 경색, 부정맥, 심부전, 고혈압 등), 복부 대동맥류, 심장 박동기, 인공 판막 수술 병력
호흡기 질환	천식, 만성 폐쇄성 폐질환 유무
전 처치와 관련 질환	전립선 비대, 녹내장, 당뇨병, 약제 과민성 유무
복용 약제	항응고제, 항혈소판제, 상기 질환의 치료제
기타	약제 알레르기 병력과 금기 약제 유무, 항정신약 복용, 음주력, 감염증 유무

4 응급 내시경 준비(표 1)

- 내시경 검사 전부터 질환을 예측하여 그에 대한 내시경 치료 준비가 필요하다.
- 되도록 표 2의 항목을 포함하여 문진이나 내시경 전 검사로 환자를 평가하며, 충분한 정보를 수집한다(방사선, 채혈, 때로 CT 등).
- 전신 관리를 위해 혈관 확보나 수혈을 준비하고, 한편으로 스코프 기종 선택(워터제트 기능), 어태치먼트 부착, 송수 펌프, 고주파 장치, 지혈 집게, 클립, 국소 주사제 등을 준비한다(표 3).

표 3 상부 소화기 출혈을 일으키는 주요 질환과 응급내시경 치료

식도 정맥류	내시경적 정맥류 결찰술(EVL)
궤양 (소화성, 약제성)	지혈술[클리핑, 고주파 열응고, 아르곤 플라스마 응고술(APC), 순수 에탄올/고장 Na 에피네프린 (HSE) 국소 주사]
내시경 치료 후	지혈술(클리핑, 고주파 열응고)
Mallory–Weiss 증후군	일반적 경과 관찰

표 4 성상에 의한 출혈 부위 추정

토혈	커피 찌꺼기 모양	위내에 얼마간 저류되었던 혈액
	선홍색	식도 유래나 위 십이지장의 대량 출혈
하혈	흑색	상부 소화기 출혈
	암적색	우측 대장, 소장의 출혈
	선홍색	좌측 대장부터 항문쪽 출혈

표 5 출혈 환자의 내시경 시 주의

▷ 소화기 출혈 환자의 전신 상태 파악과 쇼크 대책
▷ 응급내시경시의 동의
▷ 추정되는 진단과 선택할 수 있는 치료
▷ 내시경적 지혈
　• 전신 관리 체제
　• 준비한 장치, 주변 기기
　• 시야 확보(세정, 체위 변경, 어태치먼트)
　• 지혈법: 클립, 에탄올, 고주파 응고, APC
▷ 시술 후 관리(금식, 히스타민 H2 수용체 길항제/PPI, 지혈 확인의 재검사)

• 　출혈 예는 '내시경적 지혈법 지침'을 참고한다(**표 4, 5**)

5 동의서(Informed Consent)

- 출혈 때문에 전신 상태가 불량하며, 침습이 더해지는 것을 충분히 설명한다.
- 또 지혈을 할 수 없으면 외과적 수술을 포함한 다른 치료법을 시행한다고 미리 말해 둔다.

Memo

급하면 돌아가는 내시경 치료

내시경 검사를 어느 정도 할 수 있게 되면 다음 목표로 내시경 치료 (EMR, ESD 등)가 눈에 띄기 시작한다. 학회나 라이브 데몬스트레이션에서 숙달된 전문가의 술기를 보면 하루라도 빨리 자신도 치료해 보고 싶어지는 것은 당연하다.

그러나 아직 치료를 시행하는 영역에 이르지 못한 내시경의가 역량을 넘어 내시경 치료를 시행하면(또는 지도 교수가 지시하면) 내시경의나 환자 모두에게 불행한 우발 상황이 발생할 수 있으며, 기대 이상으로 잘되지 않으면 내시경의로서의 동기가 떨어지기도 한다.

내시경 치료에 필요한 기술의 기초는 내시경 검사에 대부분 포함되어 있으며, 적절한 사진 촬영에 의한 병변의 진단이나 생검, 수술 전 마킹(점묵, 클립) 등의 조작이 그것이다.

이런 기본 내시경 조작이 불충분한 의사가 내시경 치료를 시행하면, 치료에 특이한 조작을 배우기 전의 조작을 할 수 없어 지도 교수에게 의뢰할 수밖에 없다.

한편 기본 조작을 할 수 있는 의사는 1예의 치료 경험에도 여러 가지를 배울 수 있다. 그런 의사에게는 지도 교수도 비교적 단기간에 많은 치료 경험을 시키므로 오히려 빨리 숙달된다.

내시경 치료는 증례에 따라 시간이 오래 걸리지만 그 내용은 기본 조작의 반복뿐이다. 내시경 치료를 빨리 습득하기 위해서는 내시경 검사의 기본 조작을 강조하여 많이 경험하는 것이 오히려 지름길이 된다고 생각한다.

08
상부 소화기내시경 검사 후 확인사항

1 진정(sedation) 환자의 주의점

- 회복실에서 전문 스탭이 적어도 30분간 관리해야 한다.
- 검사 후에 vital signs 체크와 함께 불러서 대답할 수 있는지 확인한다.
- 고령자는 약의 대사가 늦고, 특히 폐 흡인에 대해 검사 후 충분한 관찰이 필요하다.
- 검사 당일 자동차, 오토바이, 자전거 운전은 금지하며, 음주 후처럼 취급하면 좋다.
- 디아제팜은 투여 후 혈관염이나 혈관통의 부작용이 나타날 수 있어 사전 설명과 대처(피부과 진료 등)를 준비한다.
- 벤조디아제핀계에 의한 호흡 억제나 과잉 진정에는 길항제 플루마제닐을 투여한다. 처음에 0.2 mg을 서서히 정맥주사하여 1분간 눈 뜨기나 몸 움직임을 보고 판정하며 효과가 부족하면 0.1 mg씩 추가 투여한다.

> **주의!**
> - 플루마제닐의 반감기는 약 50분으로 디아제핀계보다 짧아 재진정이 나타날 가능성이 있다.

2 일반 관찰 환자의 주의점

- 식사와 물은 국소 마취 효과가 감소하는 검사 후 2시간 후부터 허가한다.
- 항콜린제 투여에 의해 눈부심을 느낄 수 있어 검사 직후에는 운전하지 않는다.
- 항콜린제나 진통제를 사용하면 요폐 위험이 높아진다.
- 고령자나 장시간 검사는 폐 흡인 위험이 높아지므로 주의한다.

3 생검 시행 환자의 주의점

- 생검 후 출혈 전구 증상으로 구토, 빈맥, 휘청거림, 검은색 대변 등의 증상 출현에 주의한다.
- 피검자가 항혈전제 복용 중이면 출혈에 특히 신중히 대처한다.
- 당일 심한 운동이나 술을 삼가하도록 지시한다.
- 병리 결과 보고에는 수일이 필요하다고 설명하며, 외래 환자는 결과가 나올 무렵에 맞추어 외래를 예약한다.

Memo

---·깨 알 지 식·---

- 내시경 검사에 따른 쇼크에서 ① 대량 출혈(출혈성 쇼크) ② 미주신경반사(신경성 쇼크) ③ 아나필락시스를 감별한다. 항상 인력을 모으고, 정맥 경로를 확보하여 급속한 수액 공급, 하지 올림, 산소 투여(10 L/분), 기관 삽관 준비 등 전신 관리를 우선한다.

① 출혈성 쇼크는 빈맥을 동반한다. 우선 수액과 수혈을 시행하고, vital signs가 안정된 후 가능하면 내시경적 지혈 처치를 시도한다. 미주신경 반사(신경성 쇼크)는 다량의 공기에 의한 복강 내압 상승이나 스코프 조작에 의한 장기 압박이 요인이며 서맥을 동반한다. 충분한 수액을 공급하고 탈기 등 원인 제거와 아트로핀(0.5–1.0 mg)을 정맥 주사한다.

③ 아나필락시스에는, 재채기, 그렁거림, 하품, 피부 소견(홍반, 혈관성 부종, 가려움)이 있다. 기도 폐색(인두, 후두 부종) 유무를 확인하고, 우선 아드레날린 0.1 mg 정맥 주사 (2분 간격) 또는 0.3 mg 근육 주사하고, 그 후 히드로코르티손, H1 수용체 길항제(디펜히드라민 30 mg) 정맥 주사, H2 수용체 길항제(라니티딘 50 mg을 생리 식염수 20 mL에 희석하여 정맥 주사한다.

상부 소화기내시경

09

상부 소화기내시경 검사
관련 서식례

- 상부 소화기내시경 검사에서 순서대로 작성하는 서류는 ① 소화기 내시경 검사 의뢰서, ② 내시경 검사(소견) 보고서, ③ 병리 검사 의뢰서이며, 최종적으로 이 서류의 요점이 내시경 보고서 안에 일괄적으로 기록되어 내시경 검사의 종합적 진단이 이루어진다.
- 이 책 부록에 있는 식도와 위 병변에 대한 용어를 이용하여 간결하고 알기 쉽게 기록하며 공간이 제한되므로 기호, 약어도 사용하고, 다른 사람이 쓰는 방법과 비슷하게 쓰는 것도 중요하다.

1 내시경 검사 의뢰서 작성

- 일반적 기록 항목은 환자 정보(이름, 성별, 나이, ID), 검사 종류, 의뢰 시 병명, 검사 목적 등이다. 내시경 소견에 의해 임상 진단에 이르기 위해 필요하다고 생각하는 임상 정보 이외에 표 1과 같은 안전한 내시경 검사를 위해 필요한 사항도 기입한다.

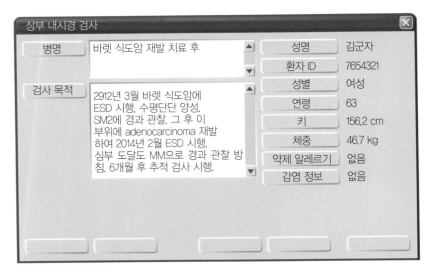

그림 1 내시경 검사 의뢰서 (예)

표 1 알아야 할 환자 정보

- 전처치 약의 금기
  항콜린제(심질환, 녹내장, 전립선 비대)
  글루카곤(당뇨병)
- 약 알레르기 병력
- 출혈 경향
- 감염증
  B형 C형 간염, HIV
- 복용약.
  당뇨병(인슐린 포함) 치료제, 고혈압 치료제, 협심증 치료제,
  강심제, 항부정맥약, 항혈소판제, 항응고제.
- 기타
  과거의 검사 상황, 진정제 사용, 임신, 신체 마비 등 체위

표 2 상부 소화기 내시경 검사에 주의가 필요한 상황(경우에 따라 금기)

- 중증 호흡기, 순환기 질환
- 천공이나 장폐색 증례
- 인두, 상부 식도 협착이나 폐색
- 강산, 알카리 흡인 예

표 3 내시경으로 진단하는 주요 식도, 위 질환

식도	<ul><li>식도염(역류성, 약제성 등)</li><li>식도 정맥류</li><li>종양(상피성: 식도암, 비상피성: 평활근종 등)</li></ul>
위	<ul><li>위염(급성 위염, 만성 위염)</li><li>위궤양</li><li>종양[상피성: 용종(과형성, 위저선종), 선종, 위암, 비상피성:평활근종, 악성 림프종 등)</li></ul>

─── 주 의! ───

▷ 드물게 검사 금기가 되는 상황이 있다(표 2).

- **검사 종류:** 상부 소화기(경구/경비, 초음파내시경, 식도 루골 염색), ERCP, 소장내시경 검사 등이 있으며, 응급성이 있으면 개별적으로 연락한다.
- **의뢰시 병명:** 기초 질환이나 내시경으로 정밀 조사해야 할 의심되는 병명을 기록한다. 전자에는 내시경 검사에서 우발 상황의 위험이 높은 폐기종(COPD), 심부전, 허혈성 심질환, 뇌혈관 장애, 신부전, 간경변 등에 주의한다. 후자는 표 3과 같은 내시경 검사로 진단해야 하는 식도나 위 질환 중에서 구체적으로 감별해야 할 질환을 기재한다.
- **검사 목적:** 자각 증상, 검사 결과 이상, 병변의 경과 관찰 등의 알려야 할 내용을 기입한다. 내시경 치료력, 수술력이나, *H. pylori* 제균력, 알레르기 등도 덧붙인다. 진정 희망이나 항응고제 복용 여부도 알려줄 필요가 있으며, *H. pylori* 검사나 면역 염색 검사 등도 지정한다.

포인트

- 내시경 검사나 병리 검사로 알고 싶은 것을 명확히 하고 그 진단에 필요하다고 생각되는 임상 정보를 제공한다.
- 사용하는 스코프 기종(경비내시경, 초음파내시경, 확대내시경, 소장내시경)이나 준비할 기기(이산화탄소 송기, EUS 프로브 등), 정맥 주사 경로 확보, 전문 시술자도 지시하는 경우가 있으며, 세심하게 주의한다.

---

2 내시경 검사(소견) 보고서(그림 2) 작성

- 내시경 검사(소견) 보고서는 종합 진단, 내시경 소견, 보고일, 보고자 항목에, 내시경 영상, 병리 소견을 더해 작성하며, filing system에 영상으로 보관하는 내시경실에서는 그 시스템에 접속한다. 전용 소프트웨어를 이용하여 용어를 풀다운 방식으로 선택하여 일정한 서식으로 기재하며, 나중에 항목마다 검색할 수 있도록 한다. 한편 자필로 보고서

보고일	2014/04/20 17:58		
보고자	장주연	**상부 소화기내시경 검사 보고서**	
보고서	2판(중간)		
환자 ID	1234567	성별 F	생년월일 1932/12/15
환자명	김군자	검사 연령 81	입원/외래 외래

의뢰의	이XX 의뢰과 내과
의뢰 병명	바렛 선암 ESD후, CREST 증후군, 비정형 항산균증
검사 이유	2013/10/25 ESD 시행. 비치료 절제(SM 200 μm 침윤, 위측 단단 종양성). 전신 상태 불량하며 경과 관찰 중. 협착 이나 재발 소견에 대한 평가 바람.

검사 종목	상부 소화기내시경 검사	검사 항목 상부 소화기내시경 검사
검사일	2014/04/17	시행 의사 박OO

종합 진단
[주] (식도) 내시경 치료 후 반흔
[부] (식도) 바렛 식도
[부] (위) 과형성 폴립 Yamata IV형(유경성)

진단 정보
[식도]
부위 앞니에서 35 cm, 12시 방향
질적 진단: 바렛 식도
의견: EGJ에서 7 cm (앞니에서 35–42 cm)에 바렛 점막이 있었음. 35 cm 12시 방향의 경도 융기에서 생검. R/O 바렛 선암.
처치: 생검 2개소, 색소 살포: 인디고카민
조직 진단: Group V adenocarcinoma
부위: 하부
질적 진단: 내시경 치료 후 반흔
의견: 명확한 협착, 국소 재발 없음.
처치: 색소 살포, 인디고카민
[위]
부위: 궁륭부
크기: 5 mm
질적 진단: 과형성 폴립 Yamata IV형(유경성)
의견: 지난 번에는 없었던 유경성 용종. Pit 불명확, 위암 R/O 목적으로 생검
처치: 생검 1개소, 색소 살포: 인디고카민
조직 진단: Group I fundic gland polyp
[십이지장(구부까지)]
질적 진단: 이상 소견 없음

검사 후 지시 치료 요함

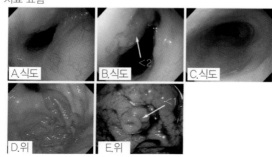

그림 2   내시경 검사 보고서 (예)

를 작성하는 병원도 있다.

- 내시경 소견 기입 항목은 관찰 범위[인후두, 식도, 위십이지장(구부, 하행부, 수평부), 공장 등을 선택]와 각 장기의 이상 소견으로 나눈다. 후자는 더 세분화하여 각각의 부위, 크기, 존재 진단, 성상, 질적 진단, 육안 형태, 심부 도달도 예측, 감별, 처치, 검사 후 지시, 합병증 등을 기재한다.
- **부위:** 식도(상, 중, 하부), 식도의 위접합부, 위(상, 중, 하부/전·후벽/대·소만), 위관, 잔류위, 문합부 등의 용어를 이용한다.
- **존재 진단:** 발적, 미란, 궤양, 반흔, 융기, 함요, 퇴색 부위, 출혈, 출혈성 경향, 종류, 점막하 융기, 벽외 압박, 동맥류, 협착, 주름 집중, 늘어남 불량, 탈장 등의 용어를 이용하여 이상 소견을 표현한다.
- **질적 진단:** 관찰 불충분, 이상 없음 이외에 표 4처럼 종양과 비종양으로 나누어 구체적 진단을 기재한다.

표 4 내시경의 질적 진단

식도	종양	표재 식도암, 진행 식도암, 잔류 재발, 다장기 암 침윤, 이형 상피, 식도 유두종, 점막하 종양
	비종양	식도 열공 탈장, 역류성 식염, 식도 정맥류, Barrett식도, 궤양, 이소성 위점막, Mallory-Weiss증후군, 식도 칸디다, 게실, 글리코겐 아칸토시스, 아칼라시아, 내시경 치료 후, 식도 수술 후
위	종양	과형성 용종, 위저선 용종, 선종, 조기 위암, 진행 위암, 잔류 재발, 다장기 암침윤, 악성 림프종, MALT 림프종, 카르시노이드, 점막하 종양
	비종양	급성 위염, 만성 위염(위축성, 표재성, 미란성, 장상피화생), 위궤양[출혈성, 천공성, 다발성, 단계(A1, A2, H1, H2, S1, S2), Dieulafoy 궤양], 아니사키스, 모세혈관 확장증, 황색종, 위 정맥류, 게실, 내시경 치료 후, 위 수술 후

- **처치:** 생검, 마킹, 색소 살포, NBI, 용종 절제, 점막 절제, 점막 하층 박리술, 지혈 방법, 결찰 방법, 경화 요법, 확장술 등을 기입한다.
- **검사 후 지시:** 다음 검사 추적 시기를 지시하며, 검사시 출혈이나 천자, 순환기나 호흡기 합병증이 있으면 기록해 둔다.

> ─○ **포인트** ○─
> - 내시경 검사 중 보고서 작성에 필요한 소견을 머릿속에서 미리 조립해 둔다.
> - 내시경 치료가 필요한 경우에는, 각종 지침이나 취급 규약 등에 따라 적응 결정에 필요한 항목을 빠짐없이 기입하도록 주의한다.

3 병리의뢰서(그림 3) 작성

- 병리검사는 내시경 소견의 진단을 확정하고 종합적인 내시경 진단으로 보고하기 위해 필요하다. 이를 위해 충실한 내시경 소견 진단이 필수적이다.
- 병리 의뢰서에는 환자 정보(이름, 성별, 나이, ID), 채취법, 재료명, 의뢰의, 의뢰일에 더해, 검사종류, 검사 목적, 임상 진단, 임상 경과, 내시경 소견을 기입한다**(표 5)**.
- 자필로 의뢰서를 작성하는 병원이 있으나, 전자 차트의 전용 소프트웨어를 이용하여 용어를 풀다운 방식으로 선택하여 일정한 서식으로 기재하는 병원도 많다.

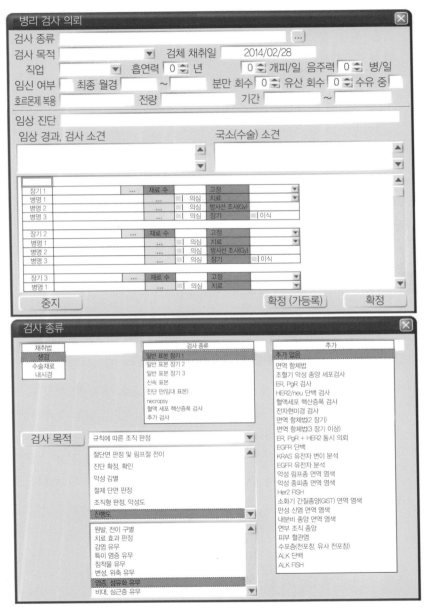

그림 3 병리 의뢰서 (예)

상부 소화기내시경

표 5 병리 의뢰서 기입 내용

검사 종류	내시경 생검, 내시경 절제, 세포진(췌장액, 담즙), 임대 표본 진단 ※ 소화기 간질 종양의 진단은 보통 HE염색에 면역 염색을 추가한다.
검사 목적	종양 유무, 악성 감별, 절단면 판정, 진단 확정, 확인, 조직형 판정, 진행도, 원발, 전이 구별, 치료 효과 판정, 감염, 침착물 유무 ※ 병리 검사에서 무엇을 알고 싶은지 전하는 중요한 항목
임상 진단	내시경 소견으로 어떻게 진단했는지를 중심으로 병리 진단에 필요하다고 생각하는 기초 질환을 기록한다.
임상 경과	검진, UGI 이상, 복통 정밀 진단, 위 암 수술 전 검사, 내시경 수술 후 추적 등. ※ *H. pylori* 등 필요 항목이 있으면 별도 기록.
내시경 소견	크기, 형태, 심부 도달도, 규약에 따른 소견 기입. 구체적 생검 부위를 가능하면 그림으로 표기한다(일목 요연하여 내시경 치료시에도 도움이 된다). ※ *H. pylori* 등 필요 항목이 있으면 별도 기록.

포인트

• 어디까지나 내시경 진단 소견의 확인을 위한 병리검사라고 위치가 설정되어 있으므로, 확실하게 임상적으로 진단하고 구체적인 병리 검사 목적을 병리의에게 전한다.
• 지난번 병리 소견과 비교가 필요하면 전회 병리 번호도 기재한다.
• 내시경 소견과 병리 소견이 맞지 않으면 반드시 슬라이드를 보러 간다.

Memo

상부 소화기내시경

부록

1 소견의 감별
□ 단발성과 다발성
□ 국한성인가, 미만성으로 보이는가
□ 붉은가, 흰가, 정색조(주위와 같은 색조)인가
□ 함요인가, 궤양인가, 평탄한가, 융기인가, 혼합된 형태인가

2 병태의 감별
□ 상피성 종양인가
□ 점막하 종양인가
□ 점막하 종양 모양의 병변인가
□ 선천성 병변인가
□ 혈관성 병변인가
□ 염증성 병변인가

3 주로 감별해야 할 병변

a. 식도에서 감별해야 할 병변
□ 식도 게실
□ 이소성 위점막
□ 혈관 확장증
□ 고립성 정맥 확장
□ 식도선 저류 낭포
□ 글리코겐 아칸토시스

□ 식도 열공 탈장
□ 역류성 식도염
□ Barrett 상피, Barrett 식도
□ 유두종
□ 과립 세포종
□ 식도 폴립(기타)
□ 식도 칸디다증
□ 호산구성 식도염
□ 식도염(기타)
□ 식도 정맥류
□ Mallory-Weiss 증후군
□ 아칼라시아
□ 멜라노시스
□ 저이형도 상피내 종양
□ 표재형 식도암
□ 진행형 식도암
□ 식도 위 접합부 암, Barrett 선암
□ 암육종
□ 악성 흑색종
□ 평활근종
□ 점막하 종양(기타)

b. 위에서 감별해야할 병변

□ 위 게실
□ 아니사키스증
□ 위석
□ 황색종
□ 장상피화생
□ 혈관 확장증
□ 위 전정부 모세혈관 확장증(DAVE, GAVE)
□ 문맥압 항진성 위증
□ 위정맥류
□ 급성 위염, AGML
□ 위축성 위염
□ 자가면역성 위염
□ 닭살 위염
□ 사마귀 위염
□ 비후성 위염
□ Ménétrier병
□ 용종 모양 낭포성 위염
□ 호산구성 소화기염
□ 위염(기타)
□ 위궤양, 궤양 반흔
□ Dieulafoy 궤양
□ 위저 선형폴립
□ 위 과형성 폴립
□ 위 폴립(기타)
□ 선종
□ 조기 위암

□ 진행 위암
□ 위 MALT 림프종
□ 위 악성 림프종
□ 위 카르시노이드종양
□ 위 GIST
□ 위 평활근종
□ 미입 췌장, 이소성 췌장, 부 췌장
□ 위점막하 종양(기타)
□ 소화기 용종증

c. 십이지장에서 감별해야할 병변

□ 십이지장 게실
□ 위상피화생, 이소성 위점막
□ 점막하 낭포
□ 림프여포 과형성
□ 림프관 과형성
□ Brunner선 과형성
□ 혈관 확장증
□ 십이지장 정맥류
□ 십이지장염
□ 십이지장궤양, 궤양 반흔
□ 십이지장 폴립(기타)
□ Brunner 선종
□ 일반형 선종
□ 표재형 십이지장 암
□ 진행형 십이지장 암
□ 십이지장 악성 림프종

□ 십이지장 카르시노이드 선종
□ 림프관종
□ 십이지장 GIST
□ 십이지장 점막하 종양(기타)
□ 유두부 종양
□ 셀리악병

선임

잠시 칭찬해 주니까
분위가 싹 바뀌네

1 식도 정맥류 치료(EVL, EIS)

- 식도 정맥류의 내시경 치료법에는 ① 내시경적 정맥류 결찰술(endo-scopic variceal ligation: EVL), ② 내시경적 경화 요법(endoscopic injection sclerotherapy: EIS) 및 양자의 조합, ③ 내시경적 경화, 결찰 병용 요법(endoscopic injection sclerotherapy and ligation: EISL)이 있다.

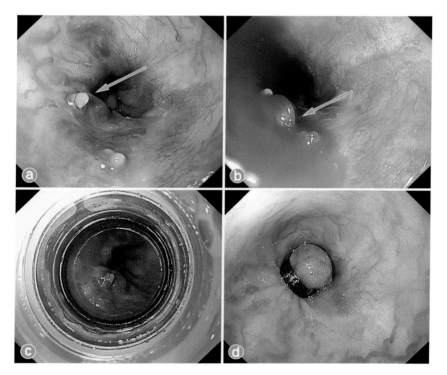

그림 1 **응급으로 시행한 endoscopic variceal ligation**
　　a: 8시 방향의 식도 정맥류(F1) 위에 백색전(white plug: →)이 보인다.
　　b: 구토 반사 후 분출성 출혈 발생, 출혈점(→) 확인.
　　c: EVL 디바이스 장착 후.
　　d: EVL 시행으로 지혈 성공 확인.

a. EVL

- 식도 정맥류 파열에서 주로 선택한다. 술기가 쉬워 환자에게 부담이 적다.
- 응급시에 확실하게 출혈점을 확인하고, 일시 지혈되어 있을 때는 적색 혈전(red plug)과 백색 혈전(white plug) 구분이 중요하다(**그림 1**).

b. EIS (EISL)

- 정맥류 형태 F2, 레드 컬러 징후(RC) 2 이상의 식도 정맥류를 대상으로 예방적 치료로 선택한다.
- EIS에는 정맥류 내 주입법과 정맥류외 주입법이 있으며, 보통 정맥류 내 주입법을 시도한다.

〈정맥류 내 주입법〉
- 5% 모노에탄올아민 올레인산염(5% EO)을 사용한다.
- 수용성 조영제와 경화제를 혼합한 5% EO액을 정맥류 내에 주입하는 방법이며, 혈관 내피 장애에 의해 정맥류를 혈전화하여 폐색한다. 치료시 정맥류 조영을 확인하여 문맥에 들어가기 전까지 주입한다.
- 1–2주 사이에 2–3회 치료가 필요한 경우가 많으며, 혈관 내에 경화제의 충분한 주입 여부에 따라 치료효과가 다르다.
- 용혈에 의한 헤모글로빈뇨가 원인이 되어 신기능 저하나 간기능 저하가 부담이 될 수 있으며 합토글로빈제를 신속히 투여하고 시술 전 신기능과 간기능 확인을 잊지 않는다.

상부 소화기내시경

- EISL는 EIS에서 정맥류내에 5% EO 주입 후에 천자부에 EVL을 시행한다. 술기 숙달이 필요하지만, 천자부의 출혈을 예방하고, 경화제의 구측(口側)으로 유입을 방지하여 치료 효과가 높다.

Memo

2 위 · 십이지장 궤양 지혈술

- 위·십이지장 궤양의 내시경적 지혈술 적응은 Forrest분류(**표 1, 그림 2**) 의 I a, I b, IIa이다.
- 내시경적 지혈술은 ① 국소 주사법(순수 에탄올 주사법, 고장 식염수 에피네프린 주사법), ② 기계적 지혈법(클립 지혈법), ③ 열 응고법(히 터 프로브법, 아르곤 플라스마 응고법, 지혈 집게)으로 분류된다.
- 출혈 정도, 혈관 굵기, 궤양 바닥의 섬유화 정도, 부위에 따라 최적의 방법을(때로 조합하여) 선택한다.

> **포인트**
>
> - 궤양 바닥의 섬유화가 심하지 않으면 출혈점, 혈관을 직접 잡는 클 립 지혈법이나 내시경적 점막 하층 박리술(endoscopic submucosal dissection: ESD) 시술 중 지혈법으로 도입되어 소화성궤양에도 최 근 많이 사용되고 있는 지혈 집게에 의한 고주파 응고법이 유용하 다.
> - 궤양 바닥의 섬유화가 심하여 출혈점, 혈관을 잡기가 어려우면 국소 주사법, 히터 프로브법, 아르곤 플라스마 응고법이 적합하다.

표 1 Forrest 분류

- active bleeding
  - Ia: spurting bleeding(분출성 출혈)
  - Ib: oozing bleeding(용출성 출혈)
- recent bleeding
  - IIa: non−bleeding visible vessel(출혈 없는 노출 혈관)
  - IIb: adherent blood clot, black base(응혈괴 부착 흑색 궤양 저)
- non−bleeding
  - III: lesion without stigmata of recent bleeding(최근 출혈 흔적이 없는 병변)

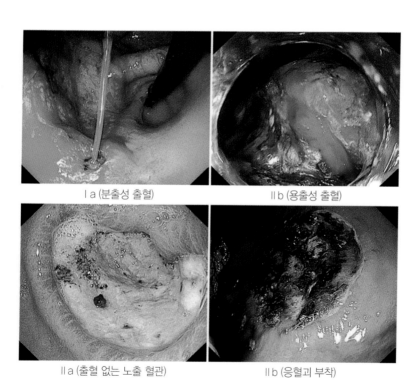

| Ia(분출성 출혈) | IIb(용출성 출혈) |

| IIa(출혈 없는 노출 혈관) | IIb(응혈괴 부착) |

그림 2 Forrest 분류에 의한 내시경상

❸ 용종절제술, EMR, ESD

a. 용종절제술
- 주로 융기성 종양에 대해 종양 기초부를 홀치기(snare)로 교액 후 고주파 전류로 절제하는 법(**그림 3**).

b. 내시경적 점막 절제술(endoscopic mucosal resection: EMR)
- 주로 평탄한 종양에 점막 하층에 주사액을 주입하고 파지 집게로 견인(strip biopsy 법), 캡(EMRC법, EAM법)이나 튜브(EEMR-tube법)로 흡인, ligation device로 ligation (EMR-L법) 등을 시행 후 병변부를 홀치기로 교액하여 고주파 전류로 절제하는 방법(**그림 4**).

그림 3　용종 절제술

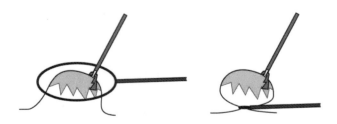

그림 4　EMR (strip biopsy법)

c. 내시경적 점막하층 박리술(endoscopic submucosal dissection: ESD)

- 점막 하층에 주사액 주입 후, 고주파 나이프, 고주파 전류를 이용하여 병변 주위 점막을 절개해 병변 아래의 점막 하층을 박리하여 절제하는 방법(그림 5).

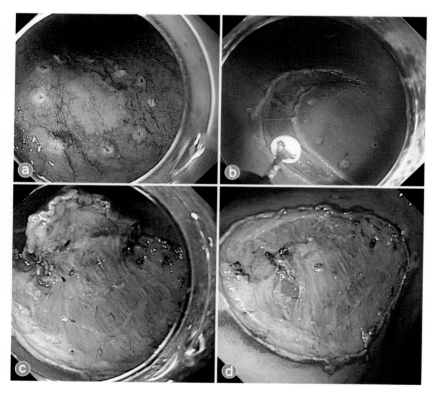

그림 5 Endoscopic submucosal dissection
　　　　a: 병변 주위의 마킹
　　　　b: 마킹 주위 점막 절개.
　　　　c: 점막 하층 박리.
　　　　d: ESD 후 궤양 바닥

- EMR로 한 번에 절제하기 어려운 큰 병변이나 반흔이 있는 병변도 일괄 절제가 가능하다.

Memo

4. 풍선 확장술, 부지 확장술, 스텐트 유치술

- 소화기 협착 치료법으로서 풍선 확장술(**그림 6**), 부지 확장술, 스텐트 유치술(**그림 7**)이 있다.
- 풍선 확장술, 부지 확장술은 일반적으로 양성 협착에 이용하고, 최근에는 풍선 확장술을 많이 이용하지만 식도 부분 절제 후 식도위 문합부 협착 등에는 과거부터 부지 확장술을 선택했다.

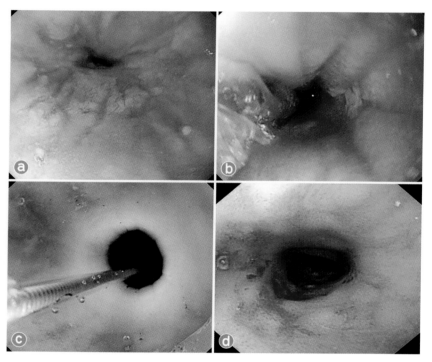

그림 6 **식도암의 근치적 화학 방사선요법 후 양성 협착에 대한 풍선 확장술**
　　a: 확장 전 협착부
　　b: 확장용 풍선의 협착부 삽입.
　　c: 확장시 협착부
　　d: 확장 후 협착부

- 스텐트 유치술은 근치 치료가 불가능한 악성 협착에 이용한다.
- 확장용 풍선, 스텐트의 도입 시스템에는 가이드와이어를 따라 삽입하는 타입(over the wire: OTW)과 내시경 집게 구멍을 통해 삽입하는 타입(through the scope: TTS)이 있다.

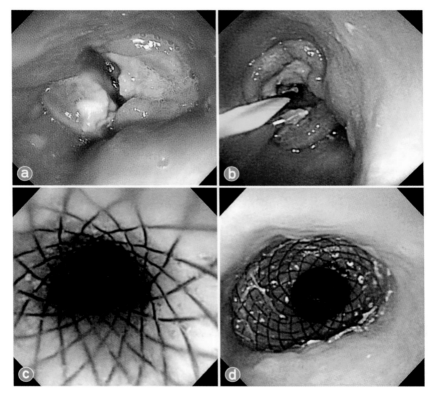

그림 7 **수술 불능 진행성 식도암에 스텐트 유치술**
　　　　a: 스텐트 삽입 전 종양부
　　　　b: 종양부에 가이드와이어 삽입
　　　　c, d: 스텐트 삽입 후

▷ 협착부의 굴곡이 심하거나 축이 편위된 경우가 있다. 천공을 방지하기 위해 협착부에서 항문쪽으로 관강의 상태. 주행을 염두에 둔다.

포인트

• 풍선 확장술은 풍선이 협착부를 저항 없이 통과하는 것을 확인하고 나서 확장하는 것이 중요하다.
• 부지 확장술에서도 삽입에 저항이 있으면 부지 크기를 줄여 방사선 투시하에서 삽입한다.

Memo

5 일레우스관 삽입

- 일레우스관 삽입은 장폐색에서 장관 내용물을 흡인하여 장관 내압을 감소시켜 폐색의 해소가 목적이다.
- 과거에는 방사선 투시하에서 삽입했으나 최근에는 경비내시경과 이산화탄소 송기 장치를 이용한 내시경하 삽입법으로 시행한다.

a. 적응 질환

- 장폐색은 장간막의 혈행 장애를 동반하지 않은 단순성 장폐색과 혈행 장애를 동반한 복잡성(교액성) 장폐색으로 구분한다.
- 일레우스관 삽입은 수술 후 유착 등에 의한 단순성 장폐색이 적응이다. 복잡성 장폐색은 응급 수술의 적응이다.

b. 삽입 준비

- 방사선 투시실에 경비내시경, 이산화탄소 송기 장치를 준비한다.
- 일레우스관(16-18 Fr, 3 m), 친수성 가이드와이어(4 m 이상), 멸균 증류수, 친수성 조영제(가스트로그래핀), 20 mL 주사기, 50 mL 카테터 팁형 주사기를 준비한다.
- 친수성 가이드와이어 용기 안과 일레우스관에 멸균 증류수를 채워 둔다.

c. 삽입 방법

① 경비내시경을 비강으로 삽입하여 십이지장 하행부까지 도달한다.
② 집게 채널에 친수성 가이드와이어를 넣어 십이지장 하행부보다 깊이 진행시킨다.
③ 가이드와이어를 빼지 않고 방사선 투시하에서 관찰하면서 내시경을 빼낸다.
④ 가이드와이어의 끝을 잡고 일레우스관을 가이드와이어에 따라 투시하에서 십이지장으로 진행시킨다.

- 이때 가이드와이어와 일레우스관이 직선이 되도록 진행한다.

⑤ 일레우스관이 가이드와이어 끝까지 진행하면 가이드와이어를 5 cm 정도 빼고, 일레우스관을 5 cm 정도 진행하는 조작을 반복하여 가능한 한 일레우스관을 진행시킨다.

- 장관의 방향을 확인하기 위해 3배 이상으로 희석한 수용성 조영제 (조영제에 의해 가이드와이어의 움직임이 나쁘지 않도록 희석)를 주입한다.

⑥ 일레우스관이 삽입되면 유치 풍선을 멸균 증류수로 확장한다.
⑦ 일레우스관이 위내에서 20-30 cm 굴곡된 상태로 얼굴에 고정한다.

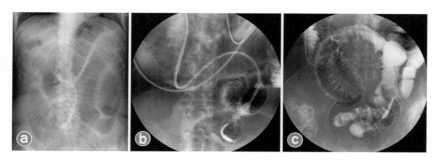

그림 8 **일레우스관 삽입 예**
　　　a: 현저한 소장 확장이 있다
　　　b: 일레우스관 첨단을 트라이츠 인대를 넘어 유치
　　　c: 5일 후에 폐색부 근처까지 일레우스관 진행 확인

⑧ 다음날 방사선으로 일레우스관 진행을 확인한다. 위내의 굴곡이 없어지면 다시 20-30 cm 진행시켜 굴곡을 만든다. 수일 후 협착부 앞에 도달한다(**그림 8**).

Memo

6 위루술

- 경피 내시경적 위루술(percutaneous endoscopic gastrostomy: PEG)은 인구의 고령화나 재택의료의 증가로 수요가 늘고 있다.
- PEG 적응 질환은 연하·섭식 장애, 반복하는 흡인성 폐렴, 염증성 장 질환, 종말기의 장관 감압 목적 등이며, 환자가 스스로 결정할 수 없는 경우나 전신 상태 불량 등 윤리면을 고려한 적응 판단도 필요하다.

a. 술기

- Pull법, Push법, Introducer법의 3 종류가 일반적이다.
- Pull법, Push법은 공통점이 많으며, 천자침이 가늘고, 술기가 안정되 지만 내시경 삽입이 2회 필요하고, 복벽의 고정부가 불결하게 되는 단점이 있다.
- Introducer법은 내시경 삽입이 1회뿐이고 복벽 고정부도 청결하지만, 위벽 고정이 필요하다. 위벽 고정 후에 가는 천자침으로 가이드와이 어를 통과시키고, 확장기로 확장하여 범퍼형 버튼을 삽입하는 Introducer 변형법이 일반적이다.
- Introducer법은 입 열기 장애나 목이나 식도의 종양성 병변(누공에 종 양 이식이 없다), MRSA 보균자(누공에 감염이 없다) 등에 유용하다.
- 천자 부위는 충분한 송기로 위를 펴서 복벽으로 투과 조명과 손가락 징후에 의한 일루미네션 테스트의 양쪽을 확인할 수 있는 부위로 하 며, 왼쪽 갈비뼈에서 배꼽보다 위쪽의 복직근으로 한다.
- 그림 9는 Introducer법의 술기이다.

b. PEG 관련 우발 상황

- **천자부 출혈:** 천자 시 위에서 보이는 굵은 혈관을 피하고, 유치 후에 는 스토퍼로 압박 지혈하며, 내시경을 빼내기 전에 지혈을 확인한다.

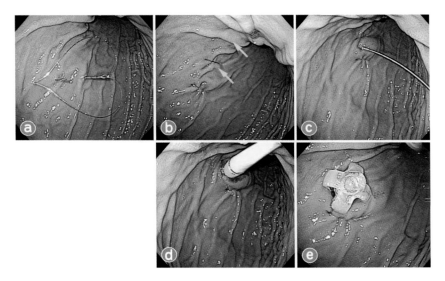

그림 9 Introducer 변형법
　　　a: 위벽 고정구 천자
　　　b: 2곳의 위벽 고정(화살표)
　　　c: 위벽 천자 후 가이드와이어 삽입
　　　d: 확장기로 확장
　　　e: 튜브 유치 후

- **결장 천자:** 복막염 등의 감염 징조가 없으면 누공 완성을 기다려 카테터를 제거한다. 예방을 위해 사전에 내시경, CT 등으로 결장의 위치를 확인해 두는 것이 중요하다.
- **범퍼 매몰 증후군(Buried bumper syndrome):** 버튼형 카테터에서 복벽 길이에 비해 샤프트 길이가 짧으면 스토퍼가 위점막에 파묻힐 수 있다. 예방을 위해 천자 시 복벽 길이를 측정하여 약간 긴 샤프트의 카테터를 유치하고, 유치 후에는 카테터의 원활한 회전을 확인한다.

7   이물 제거

a. 내시경적 치료의 적응

- 문진으로 이물이 무엇인지 알아 이물 적출 적응인지 판단한다.
- 진찰, 복부 단순 방사선검사, 복부 CT 검사 등으로 천공 유무나 이물 위치를 확인하며, 천공이 의심되면 외과 진료를 의뢰한다.
- 시술 전에 본인과 가족에게 응급 처치 시행의 필요성이나 그에 따른 예상 합병증 등을 설명하여 동의를 받는다.

b. 실시 순서

- 추정되는 이물의 종류나 상황에 따라 회수 시뮬레이션을 시행하여 사용할 처치 기구를 선택한다.
- 회수 시 소화기 손상이 없도록 첨단 어태치먼트(넓은 구경 포함), 오버 튜브를 이용하거나 첨단 집게를 사용하는 경우도 있다.
- 시술 후 이물 통과 부분에 열상이나 출혈이 없는지 확인한다.

표 2   이물 적출술의 적응

긴급성이 있는 경우	1. 소화기 벽에 손상을 줄 가능성이 있는 것: 고리가 있는 의치(부분 틀니), 바늘, PTP 포장 약제, 생선 뼈(특히 도미 뼈), 이쑤시개, 연필, 유리조각, 면도날 등 2. 장폐색을 일으킬 가능성이 있는 것: 위석, 음식물 덩어리(고기 조각 등), 내시경 절제술을 시행한 거대 절제 표본, 비닐 주머니 등 3. 독성 내용물을 가진 것: 건전지(망간, 알카리), 단추형 전지(수은, 리튬) 등
긴급성이 아닌 경우 (상기 이외의 것)	동전, 구슬, 단추, 바둑돌, 체온계 내 수은 등

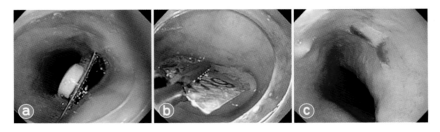

그림 10   PTP 포장을 삼킨 증례
　　 a: 식도 제1협착부 부근에서 PTP 확인
　　 b: 악구형 집게로 잡고 PTP를 투명 후드내로 넣어 스코프를 빼면서 회수
　　 c: 스코프를 재삽입 하여 PTP가 있던 부분을 관찰하여 열상이 있는지 확인

포인트

- 우선 문진으로 응급 이물 제거가 필요한지 판단한다.
- 이물 적출에 적절한 처치 기구를 선택하여 제거 시뮬레이션을 한다.
- 예리한 이물은 제거시 소화기 점막을 손상시키지 않도록 주의한다.

Memo

상부 소화기내시경

8 아르곤 플라스마 응고법

- 아르곤 플라스마 응고법(argon plasma coagulation: APC)은 비접촉형 고주파 응고법이며, 전용 프로브에서 이온화 된 아르곤 가스 방출과 동시에 고주파 전류를 방전하여 아르곤 플라스마 빔이 발생되어 조직의 응고, 지혈을 시행한다.

a. 적응 질환

- 광범위한 누출성 출혈에 좋은 적응이며, 위 전정부 혈관 확장증(gastric antral vascular ectasia: GAVE)이나 악성 종양 표면의 출혈, 혈소판 저하 예의 출혈 등의 지혈에 이용한다(그림 11).
- 분출성 출혈에 대한 지혈 효과는 불량하여 다른 지혈법을 이용한다.

b. 장치 준비

- 모노폴라 고주파 발생 장치처럼 피검자에게 대극판을 부착한다.
- 고주파 출력과 아르곤 가스 유량을 설정한다. 상부 소화기 질환의 응고 지혈에는, 보통 40-60 W, 1-2 L/분으로 설정한다.

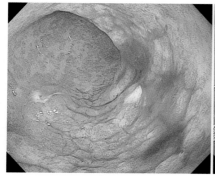

치료 전   치료 후

그림 11 GAVE에 대한 APC법의 실제

- 프로브 접속 후 아르곤 가스 공급 장치의 퍼지 버튼을 눌러 프로브에 아르곤 가스를 채운다.
- VIO300D와 APC2 (ERBE사)는 종래의 포스드모드 이외에 얇은 응고층을 형성하도록 자동 조정하는 프리사이즈모드나 보다 광범위하게 효과적으로 응고하는 펄스모드를 선택할 수 있다.

c. 응고 실시
① 프로브가 구부러지지 않도록 집게 마개의 캡을 벗기고 집게 채널에 삽입한다.
② 내시경선단부가 열에 의해 손상되지 않도록 프로브의 검은 마크가 내시경 화면에 나타날 때까지 밀어넣는다(**그림 12**).
③ 프로브 첨단을 표적 부위에 접촉하지 않을 정도로 근접시켜 간헐적으로 1초 이하로 방전한다.

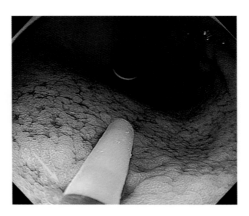

그림 12   APC 프로브 앞 끝의 마커

포인트

- 표적 부위와 적절한 거리를 유지하기 위해 내시경 선단에 투명 후드를 장착하면 좋다.
- 처치 중 아르곤 가스에 의해 위가 확장되지 않도록 꼼꼼이 흡인한다.

연수의

지침이나 목표를 알고 있으면
이해하기 쉽군

1 식도암과 위암의 병형 분류(그림 1,2)

- 심부 도달도가 점막 하층까지라고 추정되는 병변을 '표재형'=0형으로, 고유근층보다 깊이 도달했다고 추정되는 병변을 '진행형'이라고 한다.
- O-IIa와 O-I의 구별(높이)은, 식도 편평상피암에서는 1 mm(생검 집게의 반경), 식도 선암, 위암에서는 2.5 mm(생검 집게의 직경)이다.

0형	표재형	경도의 융기나 함요가 없는 것
1형	종류형	명확한 융기 형태이며 주위 점막과 경계가 명확한 것
2형	궤양 국한형	궤양을 형성하며, 궤양을 둘러싼 벽이 두꺼워져 주위 점막과의 경계가 비교적 명확
3형	궤양 침윤형	궤양을 형성하며, 궤양을 둘러 벽이 두꺼우며 주위 점막과의 경계가 불명확
4형	미만 침윤형	궤양이나 둘러싼 벽 형성이 없이 경화되어 주위 점막과의 경계가 불명확
5형	분류 불능형	0–4형의 어느 것으로도 분류가 안 되는 것

그림 1 식도암, 위암의 육안적 분류(일본위암학회 : 위암취급규약 제14판, 2010)

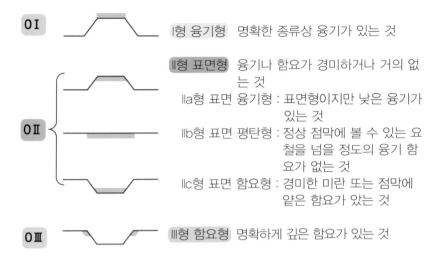

OI ─── I형 융기형 명확한 종류상 융기가 있는 것

OII ─── II형 표면형 융기나 함요가 경미하거나 거의 없는 것
IIa형 표면 융기형 : 표면형이지만 낮은 융기가 있는 것
IIb형 표면 평탄형 : 정상 점막에 볼 수 있는 요철을 넘을 정도의 융기 함요가 없는 것
IIc형 표면 함요형 : 경미한 미란 또는 점막에 얕은 함요가 있는 것

OIII ─── III형 함요형 명확하게 깊은 함요가 있는 것

그림 2 표재형의 세부 분류

- O-IIc와 O-III의 구별(깊이)는 식도 편평상피암에서는 0.5 mm, 위암에서는 깊이가 아니라 완전한 점막 결손(비종양성 점막 하층의 노출)을 O-III으로 한다(파리 분류 Gastrointestinal Endoscopy 58:S3- 43, 2003).
- 혼합형은 보다 광범위한 순서대로「+」기호를 붙인다.

2 식도암, 위암의 심부 도달도 분류
- 암의 심부 도달도 판정이 불가능하면 TX, 원발 병소를 확인할 수 없으면 TO로 한다.
- 식도 편평상피암은 200 μm 이내, 위암은 500 μm 미만이 SM1.

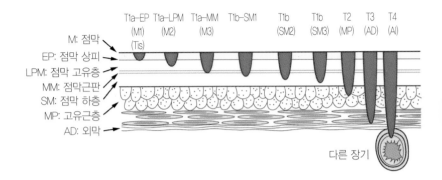

그림 3 식도 표재암의 심부 도달도 분류(일본식도학회 : 식도암진단·치료가이드라인, 2012)

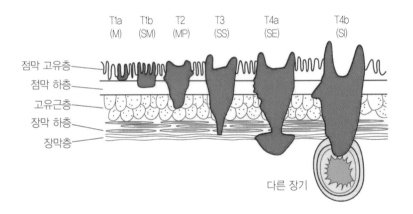

그림 4 위암의 심부 도달도

- 점막에 머무는 식도암을 조기 식도암, 점막 하층까지 머무는 위암을 조기 위암으로 한다(림프절 전이와 관계 없이). (일본식도학회: 식도 암 취급 규약, 2008/일본 위암학회: 위암 취급 규약, 2010).

위산 관련 식도 질환 분류(그림 5,6)

- 점막 상해(mucosal break)는 「정상적으로 보이는 주위 점막과 명확히 구별 되는 백태나 발적이 있는 영역」으로 정의된다.

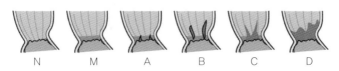

NERO	Grade N	내시경적 변화 없음
	Grade M	색조 변화가 있는 것
경증형	Grade A	길이 5 mm을 넘지 않는 점막 상해(mucosal break)가 점막 주름에 국한
	Grade B	적어도 한곳의 점막 상해가 5 mm 이상이며, 각각의 점막에 있는 점막 상해가 서로 연락되지 않은 것
중증형	Grade C	적어도 한곳의 점막 상해가 2곳 이상에서 연속되어 넓으나 전체 둘레는 아닌 것
	Grade D	전체 둘레의 점막 손상

그림 5   위식도 역류증(GERD)의 내시경 분류 (호시하라 요시오 외 : 日臨: 1808, 2000)

- HERD : non-erosive reflux disease.

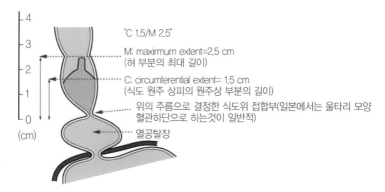

그림 6   Barrett 식도 점막의 내시경 분류(프라하 분류) (Armstrong D: Aliment Pharmacolo Ther 20: S40, 2014)

4 식도·위 정맥류 내시경 소견

표 1 식도, 위 정맥류 내시경 소견 기재 기준

	식도정맥류	위정맥류
점거 부위 (L)	Ls: 상부 식도까지 Lm: 중부 식도까지 Li: 하부 식도 국한	Lg-c: 분문부에 국한 Lg-cf: 분문부에서 궁륭부에 연속 Lg-f: 궁륭부에 국한 위체부에 있으면 Lg-b, 유문 전정부에 있으면 Lg-a 기재
형태(F)	F0: 치료 후 정맥류 소실 F1: 직선적으로 비교적 가는 정맥류 F2: 염주 모양의 중등도 정맥류 F3: 결절상 또는 종류상의 큰 정맥류	식도 정맥류에 준함
색조(C)	CW: 백색 정맥류, Cb: 청색 정맥류	식도 정맥류에 준함
	자색이나 적자색이면 violet (V)을 부기하여 CbV로 기재 혈전화 정맥류는 Cw–Th, Cb–Th를 부기	
발적 소견 (RC)	RC에 red wale marking (RWM), cherry red spot (CRS), hematocytic spot (HCS) 3가지가 있다.	
	RC0: 발적 소견 없음 RC1: 국한성으로 소수의 발적 RC2: RC1과 RC3 사이 RC3: 전체 점막에 많음 1) telangiectasia가 있으면 Te 부기 2) RC의 내용(RWM, CRS, HCS)은 RC에 부기 3) F0에서 RC가 있으면 RC 1–3으로 표기	RC0: 발적 소견 없음 RC1: RWM, CRS, HCS 중 어느 것이 존재 *위정맥류는 RC의 정도 분류를 하지 않는다
출혈 소견 (BS)	출혈 중 소견: 용출성, 분출성, 삼출성 출혈 후 소견: 적색 혈전, 백색 혈전	식도 정맥류에 준함 혈전 부착이 없는 파열부도 있다
점막 소견	미란(E): 있으면 E 기재 궤양(UI): 있으면 UI 기재 반흔(S): 있으면 S 기재	식도 정맥류에 준함

(일본문맥압 항진증학회 : 문맥압항진증 취급규약 제3판, 2013)

위염의 분류(그림 7.8)

- 신 시드니 시스템의 내시경적 위염의 표기는 국소 존재와 7개의 카테고리이다(**그림 7**).
- 급성 위염을 출혈성 위염, 출혈성 미란성 위염, 급성 위점막 병변(acute gastric mucosal lesion: AGML), 만성 위염을 위축성 위염, 위축성 과형성위염, 장상피화생(화생성 위염), 비후성 위염, 미란성 위염, 사마귀모양 위염으로 나눈다(표층성 위염은 정의가 애매하여 사용하지 않는 편이 좋다)(일본 소화기내시경학회: 소화기내시경용어집 제3판, 2011).

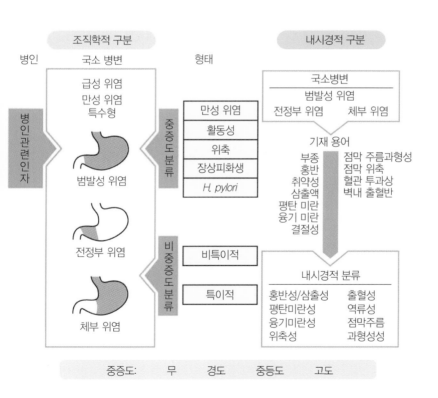

그림 7 신 시드니 시스템에 의한 위염 분류 (Dixon MF etal. ; Am J surg Pathol 20:1161, 1996)

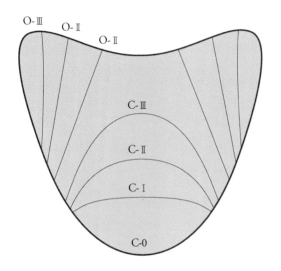

그림 8　Kimura 분류 (Kimura K etal. : Endoscopy 1 : 87, 1969)

- 내시경적 위염은 증후학적 위염, 조직학적 위염과의 대비가 충분하지 않아 정해진 견해가 없다. *H. pylori*에 의한 조직학적 위염 이외에는 만성 위염이라고 표현하는 것에 이론이 있어 위염 대신 위증 또는 소견이라고 하기도 한다.
- 키무라 분류(그림 8)는 위축성 위염의 범위를 나타내는 분류이며, 위 저선 영역이 위벽 전체에 남아 있으면 closed type, 존재하지 않으면 open type으로 한다. *H. pylori* 감염이 없고 위축이 관찰되지 않으면 C-O라는 세부 분류를 추가할 수 있다.

6 위·십이지장 궤양의 분류(그림 9)

- Forrest 분류는 137쪽, 부록 2-2, 표 1 참조

활동기	A₁	두꺼운 백태가 붙어 있고 주위 점막이 부종으로 부풀어 재생 상피를 전혀 볼 수 없는 시기
	A₂	부종이 감소하여 궤양 주변이 명확. 궤양 주위에 재생 상피가 약간 있다. 궤양 주변이 붉거나 궤양에 백태가 보이는 것이 많다. 궤양까지 점막 주름이 집중되지 않은 시기
치유 과정기	H₁	백태가 얇아지고 재생 상피가 궤양 내에서 나오고 있다. 주변부에서 궤양 바닥으로 점막 경사가 완만하게 된다. 궤양의 점막 결손이 명확하며 궤양 주변 선이 분명한 시기
	H₂	H1보다 더욱 축소된 궤양의 대부분이 재생 상피로 싸고 있지만 백태가 약간 남아 있는 시기
반흔기	S₁	백태가 소실되고 궤양 표면이 재생 상피로 싸이며, 점막 발적이 심한 시기(red scar)
	S₂	발적이 소실되어 주위 점막과 같거나 액간 백색으로 된 시기 (white scar)

* H₃: 바늘 머리 크기의 백태가 남아 있을 때 H₃ stage로 표현할 수 있다.
(시키타 타카오 외 : 日消誌 67; 984, 1970)

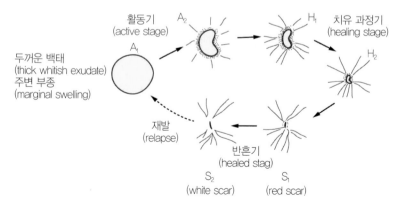

그림 9 궤양의 시기적 분류

4 자료

▌ 「항혈전제 복용자의 소화기내시경 진료 지침」의 포인트

a. 지침 작성 요지

- 이 지침은 일본 소화기내시경학회, 일본 순환기학회, 일본신경학회, 일본 뇌졸중학회, 일본 혈전 지혈학회, 일본 당뇨병학회가 합동으로 2012년 작성했다.

- 항혈전제 지속에 의한 소화기 출혈뿐 아니라, 항혈전제 휴약에 의한 혈전 색전증 유발도 배려한다.

- 피검자의 휴약은 '혈전 색전증 고위험군'해당 여부로 분류하여(**표 1**), ① 일반 소화기내시경(관찰), ② 내시경적 점막 생검(생검), ③ 출혈 저위험 소화기내시경(출혈 저위험), ④ 출혈 고위험(출혈 고위험)의 4개(실제로 생검과 출혈 저위험은 같이 취급하여 3개) 카테고리로 분류한다(**표 2**).

- 항혈전제는 항혈소판제(아스피린, 크로피도그렐, 기타 항혈소판제)와 항응고제(와파린, 타비가트란)로 분류해 각각 단독 투여와 다제 투여로 나누어 검토한다(**표 3, 4**).

b. 지침의 요점(Gastroenterol Endosc 54, 2012)

- 소화기내시경 검사 치료에서 아스피린, 아스피린 이외의 항혈소판제, 항응고제의 어느 쪽이든 휴약할 가능성이 있으면 검사 전에 처방의에게 상의하여 휴약 가부를 검토한다. 원칙은 환자 본인에게 검사 치료를 시행하는 필요성, 이익과 출혈 등의 불이익을 설명하여 명확한 동의 하에 소화기내시경 시행을 철저히 한다(evidence level VI, 권고도 B).

표 1 휴약에 의한 혈전 색전증 발생 고위험군

◎ 항혈소판제 관련
- 관동맥 스텐트 유치 후 2개월
- 관동맥 약제 용출 스텐트 유치 후 12개월
- 혈행 재건술(경동맥 내막 박리술, 스텐트 유치) 후 2개월
- 주간 동맥에 50% 이상 협착을 동반한 뇌경색 또는 일과성 뇌허혈 발작
- 최근 발생한 허혈성 뇌졸중 또는 일과성 뇌허혈 발작
- 폐색성 동맥경화증으로 Fontaine 3도(안정시 통증) 이상
- 동맥 초음파 검사, 머리 자기공명 혈관영상에 휴약으로 위험이 높다고 판단되는 소견이 있는 경우

◎ 항응고제 관련
- 심장성 뇌색전증의 병력
- 판막증을 동반한 심방세동
- 판막증이 없으나 뇌졸중 위험이 높은 심방세동
- 승모판의 기계 판막 치환술 후
- 기계 판막 치환술 후 혈전 색전증의 병력
- 인공 판막 설치
- 항인지질 항체증후군
- 심부 정맥 혈전증, 폐색전증

* 와파린 등 항응고 요법 중 휴약에 의한 혈전, 색전증 위험은 다양하지만, 일단 발생하면 중증이 많으므로 항응고 요법 중인 모든 증례는 고위험군으로 대응하는 것이 바람직하다(Gastroenterol Endosc 54: 2073-2102, 2012).

- 일반 소화기내시경은 아스피린, 아스피린 이외의 항혈소판제, 항응고제 모두 휴약 없이 시행 가능하다(evidence level VI, 권고도 B).
- 내시경적 점막 생검은 아스피린, 아스피린 이외의 항혈소판제, 항응고제 어느 쪽이든 1제를 복용하고 있으면 휴약 없이 시행해도 좋다. 와파린은 PT-INR의 일반 치료 영역을 확인하여 생검한다. 2제 이상을 복용하면 증례에 따라 신중하게 대응한다(evidence level V, 권고도 C1).

표 2 출혈 위험도에 따른 소화기내시경 분류

1. 일반 소화기내시경
   - 상부 소화기내시경(경비내시경 포함)
   - 하부 소화기내시경
   - 초음파내시경
   - 캡슐내시경
   - 내시경적 역행성 췌담관조영
2. 내시경적 점막 생검(초음파 내시경하 천자 흡인술 제외)
3. 출혈 저위험도 소화기내시경
   - 풍선내시경
   - 마킹(클립, 고주파, 점묵 등)
   - 소화기, 췌관, 담관 스텐트 유치술(사전 절개 술기 시행하지 않은)
   - 내시경적 유두 풍선확장술
4. 출혈 고위험도 소화기내시경
   - 용종 절제술
   - 내시경적 점막 절제술
   - 내시경적 점막하층 박리술
   - 내시경적 유두 괄약근 절개술
   - 내시경적 십이지장 유두 절제술
   - 초음파내시경하 천자 흡인술
   - 경피내시경적 위루술
   - 내시경적 식도.위 정맥류 치료
   - 내시경적 소화기 확장술
   - 내시경적 점막 소작술
   - 기타

(항혈소판제 복용자에 대한 소화기내시경 진료지침 Gastroenterol Endosc 54: 2073–2102, 2012)

- 항혈전제 휴약 후 재복용 시작은 내시경적으로 지혈을 확인한 시점으로 한다(evidence level V. 권고도 B).

표 3 항혈소판제, 항응고제 휴약; 단독 투여

내시경 검사 / 단독투여	관찰	생검	출혈 저위험도	출혈 고위험도
아스피린	◎	○	○	○ / 3–5일 휴약
클로피도그렐	◎	○	○	ASA, CLZ대체 / 5–7일 휴약
기타 항혈소판제	◎	○	○	1일 휴약
와파린	◎	○ (치료범위)	○ (치료범위)	헤파린 대치
다비가트란	◎	○	○	헤파린 대치

◎ : 휴약 불필요   ○ : 휴약 불필요 가능 / : 또는   ASA: 아스피린 CLZ: 실로스타졸

표 4   항혈소판제, 항응고제 휴약; 다제 병용

	아스피린	클로피도그렐	기타 항혈소판제	와파린/다비가트란
2제 병용	○/CLZ 대치	5–7일 휴약		
	○/CLZ 대치		1일 휴약	
	○/CLZ 대치			헤파린 대치
		ASA 대치 / CLZ 대치	1일 휴약	
		ASA 대치 / CLZ 대치		헤파린 대치
			CLZ 지속 /1일 휴약	헤파린 대치
3제 병용	○/CLZ 대치	5–7일 휴약		헤파린 대치
	○/CLZ 대치		1일 휴약	헤파린 대치
		ASA 대치 / CLZ 대치	1일 휴약	헤파린 대치

○ 휴약 불필요 / 또는   ASA: 아스피린, CLZ:실로스타졸

2 내시경 진료에서 진정 지침

- 내시경 진료에서 진정 지침은 2013년 일본 소화기내시경학회에서 제정했으며 홈페이지에서 다운로드 가능하고 (http://www.jges.net/index.php/) 일부를 소개한다.

a. 지침 작성의 요지

- 지금까지 진정 지침이 명확하게 표준화되지 않아 적절하지 않은 약제 사용, 불충분 진정 수준 조절, 진정제의 보험 적용 등의 문제가 있었다. 따라서 evidence based medicine (EBM)에 의한 내시경 진료에서 진정에 대한 지침을 작성했다.

b. 진정 및 진정 수준의 정의

- 진정의 정의: 진정(sedation)이란, 투약에 의해 의식 수준 저하를 일으키는 것이다. 한편 진통(analgesia)은 의식 수준 저하 없이 통증을 감소하는 것이며, 진통과 진정을 명확하게 구별한다.
- 진정 수준의 정의: 보통 미국 마취과학회의 진정, 마취 수준 정의를 이용한다(표 5).
- 진정 수준의 간편한 판정법: 진정 마취의 심도를 판단은 Ramsay 진정 점수를 이용한다(표 6).
- Ramsay 점수 3-4가 중등도 진정[(의식하 진정, moderate sedation (conscious sedation)]에 해당한다.

표 5 미국 마취과 학회의 진정, 마취 수준 정의

	경도 진정=불안 제거 minimal sedation	중등도 진정/진통=의식하 진정 moderate sedation/analgesia; consious sedation	깊은 진정/진통 deep sedation/analgesia	전신 마취 general anesthesia
반응	물음에 정상 반응	물음이나 촉각 자극에 의도적으로 반응	반복된 통증이 동반된 자극에 반응	통증 자극에 반응 없음
기도	영향 없이 정상	처치 필요 없음	기도 확보 처치 필요	기도 확보 필요
자발 호흡	영향 없이 정상	적절히 유지	장애됨	소실됨
심혈관 기능	영향 없이 정상	보통으로 유지	보통으로 유지	장애됨

(Anesthesiology 96 : 1004, 2002)

표 6 Ramsay 점수

Ramsay 점수	반응
1	불안, 초조함, 안절부절
2	협력적, 고요함, 의식 있음
3	명령에만 반응
4	졸림, 미간의 가벼운 두드림이나 청각 자극에 곧 반응
5	졸림, 미간의 가벼운 두드림이나 청각 자극에 완만하게 반응
6	자극에 반응하지 않음

(Ramsay MA: Br Med J 22: 656, 1974)

c. 지침의 요점

- 내시경 진료에서 진정은 의사가 필요성을 고려하여 충분한 설명 후 환자의 동의와 의지에 따라 시행한다.
- 내시경 진료에서 진정은 환자의 불안이나 불쾌감을 없애 내시경 진료의 수용성이나 만족도를 개선하는 효과가 있다(evidence level Ⅰ, 권고도 B).
- 진정은 내시경 의사의 관점에서 검사 완수율이나 검사 내용 및 치료 성적 향상에 유용하다(evidence level I, 권고도 B).
- 시행에는 호흡·순환기계 영향에 충분히 주의하며 인원이나 기기 설비 확보, 모니터링이 중요하다(evidence level IVb, 권고도 B).
- 진정하 내시경 시행에서 환자의 시진, 의식 수준과 호흡 순환 동태의 적절한 감시가 중요하다. 내시경 술기 종료 후와 각성까지 환자 감시를 계속한다(evidence level IVb, 권고도 B).
- 벤조디아제핀계 약제에 의해 상부 소화기내시경 검사에서 적합한 진정이 가능하다(evidence level I, 권고도 C1).
- 응급내시경시에 안전성과 확실성의 관점에서 진정하 처치가 필요한 경우가 많다. 또 진정 시행 유무와 관계 없이 안전성 확보의 관점에서 생체 감시 모니터 사용이 바람직하다(evidence level Ⅱ, 권고도 B).
- 고령자의 진정은 비고령자에 준한 진정제 투여량을 배려하여 사용한다. 비고령자보다 시술 중 및 수술 후의 엄격한 감시가 필요하다(evidence level IVb, 권고도 C1).

3 미요토종합병원의 내시경 연수과정 소개(미요토식 연수법: 그림1,2)

- 초기 연수의(1-2년차)에 구체적 과제를 설정하여 목표를 명확히 한다.
- 상부, 하부 소화기내시경 검사의 시술자, 또 내시경 치료(담도계 검사, ESD 등)의 조수를 목표로 설정한다.
- 과제 달성 속도는 개개인에 따라 다르며 기준의 하나로 이용하고 있다.

◎ 대상 : 연수의 1–2년차 처음의 경우

□ 자신이 담당하는 환자는 원칙적으로 일정에 따라 견학한다.
□ 내과 로테이션 중에는 오전이나 오후 중 주 1회 견학, 연수에 참가한다.
□ 입원, 응급 환자 등으로 검사에 늦으면 반드시 당일 책임자에게 연락한다.

그림 1 상부 소화기내시경 검사의 반년간(24주) 목표(검사 이해 및 진정 환자 관찰)

목표	내용	교육 담당자
1–2주	검사의 흐름, 의뢰서의 이해	3–4년차
3–4주	전처치의 이해와 견학, 세정 견학	담당 간호사, 조무사
5–6주	위내시경 검사 견학	의료 기사
7–12주	생검, 인디고카민 살포 조수 사진 촬영의 이해(40매 촬영) 소견서 작성 방법의 이해(기본적 기록) 모델 스코프 조작 연습	3–4년차 or 내시경 담당의
13주~	담당 환자 or 진정 환자에 삽입, 관찰 소견서 작성 실시 진단 방법과 치료법의 이해	

※ 단계를 빠지면 담당의의 허가가 없는 한 다음 단계로 넘어가지 않는다.

◎ 대상 : 연수의 2년차 소화기 내과 선택의 경우

　　□ 자신이 담당하는 환자는 원칙적으로 스케줄에 따라 견학한다.

　　□ 내과 로테이션 중에는 오전과 오후 중 주 1회 견학, 연수에 참가한다.

　　□ 입원, 응급 환자 등으로 검사에 늦으면 반드시 당일 책임자에게 연락한다.

그림 2　1-2개월 목표(진정 환자의 삽입과 관찰)

목표	내용	교육 담당자
1-2주	생검과 인디고카민 살포, ESD, ERCP 조수 상하부 모델로 스코프 조작 연습	간호사
3-4주	담당 환자 or 진정 환자의 삽입, 관찰 8분 제한 스톱워치 사용 소견서 기록	상급자
6주~	담당의 허가하에 대장 삽입, 관찰 ERCP 삽입 15분 제한 이후는 능력에 따라 독립 OK(유소견이 있으면 상급자와 상의)	상급자

Memo

------

4. 입문서 다음에 읽어야 할 책 목록

진단편

소화기내시경을 위해 확실히 성경이라고 부를 수 있는 책

1. **소화기내시경 진단 텍스트 I 식도, 위, 십이지장(제3판)**
   長廻 絃(편집), 星原 芳雄(저), 문광당, 도쿄, 2008년

2. **소화기내시경 진단 텍스트 II 소장, 대장(제3판)**
   長廻 絃(편집), 田中 信治(저), 문광당, 도쿄, 2005년

소화기내시경 전반에 관하여 대략적으로 이해하고 싶을 때

3. **컬러 사진으로 반드시 안다! 소화기내시경**
   -적절한 검사 치료를 위한 술기와 요령(비주얼 기본 술기 3)
   中島 寬隆 외 (저), 양토사, 도쿄, 2010년

영상 진단 요령을 알기 쉽고 간결하게 해설(vol 2 이후도 권고)

4. **이것으로 납득! 영상으로 보는 소화기 질환 vol.1 상부 소화기**
   渡辺守(감수), 藤城 光弘(편집) 의학출판, 도쿄, 2013년

연구회에서 논의한 도움이 되는 증례×아틀라스

5. **상부 소화기내시경 스킬 업 노트**
   TOKYO GASTROLOGY CLINICAL DIAGNOSIS CONFERENCE(편집), 藤城 光弘(책임 편집), 중외의학, 도쿄, 2012년

Q&A 형식으로 진단 기법을 향상한다

6. **목표! 내시경 진단 엑스퍼트**
   田尻 久雄(편집), 남강당, 도쿄, 2011년

풍부한 사진으로 해설한 일반광 및 특수광내시경 영상이 일목 요연

7. NBI내시경 아틀라스

武騰 ·외(편집), 남강당, 도쿄, 2011년

내시경뿐 아니라 병리 지식도 익히고 싶은 사람에게

8. 소화기암 컬러 아틀라스-내시경 소견에서부터 병리 진단까지

田尻 久雄외 (편집), 남강당, 도쿄, 2013년

예술적 컬러 그림으로 EMR, ESD를 이해

9. 일러스트로 보는 식도, 대장 EMR과 위 ESD
-안전한 내시경 치료의 요령

上西 紀夫(감수), 松橋 信行(편집), 메디칼뷰사, 도쿄, 2012년

이제 와서 물을 수 없는 내시경 치료의 의문을 철저 해설(소화기내시경 렉처 시리즈 전체도 권고)

10. 혼자서도 헤매지 않는 상부 소화기 치료 내시경의 비법
- 자신을 가지고 시작해 봅시다(소화기내시경 렉처 1권 4호)

藤城 光弘(특별 편집),종합의학사, 도쿄, 2013년

Memo

상부 소화기내시경 검사가 끝난 환자에게 듣고 싶지 않은 말은, "오늘 검사는 괴로웠다"이다. 이 책을 읽지 않고 훈련 받은 내시경의는 적지 않게 이런 말을 들었을 것으로 생각된다.

필자도 20년 이상 상부 소화기내시경 검사에 종사하며 이 말을 들은 적이 있다. 위 병변의 정밀 조사를 위해 확대 내시경에 후드를 장착하고, 색소 살포를 시행하며, 주위의 생검을 시행하다보면 아무래도 검사 시간이 길어진다. 다른 병원에서 시행한 간단한 선별 검사와 비교한 환자의 솔직한 느낌일 수밖에 없다.

이런 말을 들었을 때, 그 검사를 더 신속하고, 정확하며, 즐겁게 할 수는 없었는지 되돌아보았다. 술기의 숙달은 모순된 내용의 해결을 추구하지 않으면 얻을 수 없다.

그런 태도로 이 책을 가지고 훈련한 내시경의에게 "오늘 검사가 지금 받았던 어떤 검사보다 가장 편했다"라는 말을 듣는 날이 빨리 오기를 기대한다.

야마모토 요리마사

이제부터 상부 소화기내시경에 입문하는 의사에게 이 책을 언제라도 손 쉽게 활용하여 내시경 연수의 문을 열어 그 기초를 배우기 바란다. 최근 소화기내시경은 진단 분야에도 치료 분야에도 크게 발전하고 있다. 이 책을 기초로 문을 열어 보다 깊은 내시경 연수에 몰두하여 다양한 전문 분야의 교과서, 문헌으로 흥미를 발전시키기 바란다.

이번에 이 책을 집필하며, 필자가 약 20년 전부터 주머니 속에 넣고 있던 서적을 다시 펴 보았다. 그 내용이 현재도 변하지 않고 기본이 되어 있는 것부터, 새롭게 발전하고 있는 것까지 다양했다. 흥미있었던 것은 당시 필자가 내시경 연수 중에 여백에 써둔 증례나 컨퍼런스의 메모, 다른 교과서에서 옮겨 쓴 메모였다. 메모를 되돌아보면서 오늘날의 내 자신과 연결되어 있는 느낌이었다.

여러분도 부디 이 책으로 상부 소화기내시경의 기초를 손쉽게 배우는 동시에 여백에 스스로의 성장 궤적을 기록해 두기를 바란다.

오다 이치로

이 책은 후지시로 선생님이 발기인이 되어 거의 같은 세대의 멤버가 모여 집필, 편집하였다. 각각 종합 병원, 대학병원, 암 전문병원으로 소속 기관은 다르지만 소화기내시경을 중심으로 약 20년간 다양한 문제에 직면하여 여러 가지로 고민하면서 임상에 종사해온 내시경 진단과 치료의 전문가이다. 이제 걱정하지 않는 세대인 우리들이 지식과 경험을 쌓아 후에 매일 진료의 문제점으로 도착한 것은 "내시경 검사에서 교육"의 중요성이다.

일반적으로 내시경 검사는 환자에게 처음으로 시행하는 의료 행위의 하나이므로 대부분의 젊은 의사가 장래의 진로와 관계 없이 높은 뜻을 가지고 내시경 검사에 임하게 된다. 내 자신의 경험에도, 동기가 높은 많은 연수의를 맞을 수 있어 매일 행복을 느끼고 있다. 한편 이 시기의 젊은 의사에게 도움이 될 만한 내시경 검사 입문서가 없을까 항상 생각하고 있었다. 내시경을 배우고 싶다는 열의에 응할 수 있으며, 한편으로 알기 쉽고 적당한 입문서로 이 책이 완성되었다.

젊은 의사가 내시경 검사에 종사하는 계기가 되도록 내시경 검사에서 진단학과 검사, 치료 술기를 즐겁게 이해해 주길 바란다.

이마가와 아츠시

색인

　　　　　　　　　　상부 소화기관 내시경